ISBN collection : 2-84634-108-7
ISBN ouvrage : 2-84634-119-2

Imprimé et relié en France, par Pollina - n° 82868
Dépôt légal : février 2001

Design et documentation
Marshall Edition Development Limited

Le Monde Merveilleux de la Connaissance

LES ANIMAUX MARINS

Comment utiliser ton encyclopédie

Avec Mickey, Minnie, Donald, Daisy, Dingo et Pluto, tu vas embarquer pour la grande aventure de la connaissance. En chemin, tu découvriras le secret des sciences, de la nature, du monde où nous vivons, du passé et bien plus encore. Attache bien ta ceinture, attention au départ !

Regarde à cet endroit pour trouver le résumé du sujet traité sur cette page.

Les légendes t'expliquent *ce qui se passe dans les images.*

En observant les images, *tu peux apprendre beaucoup, avant même d'avoir lu le texte.*

Les oreilles de Mickey *te font découvrir le sujet principal.*

Recherche les pages spéciales où Mickey examine de plus près les idées importantes.

Un monde en pleine trans

De grands changement dans le monde à la période à 65 millions d'années avan Le territoire se divise pour f nouveaux continents. De no de dinosaures herbivores ap et les dinosaures carnivores également très nombreux.

Les animaux du Crétacé
De gigantesques dinosaures chasse parcouraient le territoire. Les oisea volaient au-dessus d'eux en compa de grands reptiles volants, tandis q les ichthyosaures nageaient dans la

Le chorythosaurus, *un dinosaure herbivor*

Les Dinosaures

À la découverte des dinosaures

Personne n'a jamais vu un dinosaure vivant, mais nous savons pourtant qu'ils ont existé grâce aux nombreux fossiles qui ont été retrouvés un peu partout dans le monde.

Les fossiles sont les restes des plantes et des animaux disparus depuis longtemps et préservés dans la pierre. Les fossiles de dinosaures les plus répandus sont les os et les dents, mais on a également retrouvé des empreintes d'excréments, d'œufs, de traces de pattes et de relief de peau. La plupart des fossiles sont découverts par des experts nommés paléontologues, des scientifiques qui étudient la vie préhistorique. Ils rassemblent les os et tous les restes afin d'apprendre le plus de choses possible sur les dinosaures.

Excréments de dinosaures fossilisés.

Empreintes de peau de dinosaure.

18

À la découverte des dinosaures

Des fouilles pour retrouver des os
Les os de dinosaures fossiles doivent être extraits de la roche avec beaucoup de précaution, et avec des outils variés : des burins, par exemple, mais aussi des brosses souples. Quand on trouve des os très grands dans un bloc de pierre, il faut les envelopper dans de la toile et du plâtre pour les protéger pendant le transport.

Pour parvenir à exhumer des fossiles, *les fouilles peuvent durer des semaines et les scientifiques installent le plus souvent un campement sur le site.*

Chaque os *est photographié avant d'être retiré de la roche.*

Les os de grande taille, *enveloppés dans du plâtre, doivent être manipulés avec beaucoup de précaution.*

Les os enveloppés *sont prêts à être chargés sur des camions.*

Un expert en fossiles *est en train de ciseler la roche au burin.*

Des ouvriers *enveloppent un os dans de la toile et du plâtre.*

La position *de chaque os est reportée sur une carte du site.*

Des archéologues en train d'extraire des restes de dinosaure.

Du dinosaure au fossile

1 **Quand le dinosaure** meurt, sa chair se putréfie et disparaît. Il ne reste plus que les os.

2 **Les os sont** peu à peu recouverts par des couches de boue et de sable.

3 **En quelques millions d'années,** la boue, le sable et les os se transforment en roche.

4 **Les couches de roche** sont usées par le vent et la pluie et les os fossilisés, très durs, finissent par apparaître.

Reconstitution du squelette
Dans un laboratoire ou un musée, les spécialistes finissent de détacher l'os de la pierre. Ils reconstituent autant que possible le squelette. Grâce aux marques laissées sur les os par les muscles, ils parviennent à s'approcher le plus possible de la réalité.

Préparation de la reconstitution du squelette.

Toi aussi tu peux trouver des fossiles
Tout le monde peut découvrir des fossiles, bien qu'ils ne soient pas tous de dinosaures. Cherche sur la plage ou aux endroits où la roche est sédimentaire, comme le grès ou le schiste. Il te faut des outils simples : un marteau et un burin, par exemple. Demande à un adulte de t'aider à tailler la roche, tu pourrais découvrir de superbes fossiles à l'intérieur.

Des enfants à la recherche de fossiles

Des outils.

Pour en savoir plus
La Terre : fossiles
L'Histoire ancienne : fouilles archéologiques

19

Les pages numérotées de Mickey *t'aident à trouver ce que tu cherches. N'oublie pas qu'il existe aussi un glossaire et un index à la fin de chaque volume.*

Les chiffres *te guident pas à pas dans le déroulement d'un événement.*

Mickey t'indique quelles informations complémentaires tu dois rechercher dans les autres volumes de ton encyclopédie.

POUR EN SAVOIR PLUS
LA TERRE : les fossiles
L'HISTOIRE ANCIENNE : les fouilles archéologiques

C'EST INCROYABLE !
★ Les ailes déployées du *pteranodon* mesuraient environ 7 m d'un bout à l'autre. C'est à peu près deux fois plus large qu'une voiture de taille moyenne.
Tes personnages préférés connaissent des détails incroyables qui étonneront tes amis.
UN MONDE EN PLEINE TRANSFORMATION
ion
45
Le monde au crétacé
Terre
Mer peu profonde
Mer profonde
Le pteranodon, *un reptile volant.*
UN CLIMAT CHANGEANT
Au début de la période crétacée, le climat était chaud en permanence, mais il y avait aussi, chaque année, des saisons humides et des saisons sèches.
L'ichthyosaurus, *un reptile marin.*
C'EST INCROYABLE !
★ Les ailes déployées du *pteranodon* mesuraient environ 7 m d'un bout à l'autre. C'est à peu près deux fois plus large qu'une voiture de taille moyenne.
L'ichthyornis, *un oiseau.*
PLANTES À FLEURS
Les plantes à fleurs sont probablement apparues près de l'Équateur 120 millions d'années environ avant aujourd'hui. Les abeilles et d'autres insectes volants ont propagé leur pollen et bientôt des fleurs se sont mises à pousser partout. Les fougères et les cycas sont alors devenus beaucoup moins abondants.
Le tarbosaurus, *un grand dinosaure chasseur.*
Plantes à fleurs.
POUR EN SAVOIR PLUS
LES INSECTES ET ARAIGNÉES : abeilles
LA VIE VÉGÉTALE : plantes à fleurs
Les complices de Mickey font eux-mêmes quelques expériences.
fenêtre couleur met
informations
portantes
valeur.

Sommaire

INTRODUCTION

Les animaux marins

Il y a plus de mer que de terre sur notre planète et une foule de créatures étonnantes vivent là comme… des poissons dans l'eau. Mollusques et crabes fréquentent les rivages. Au large, se croisent des langoustes en cuirasse, d'étranges animaux pourvus de huit longs bras, et des poissons ailés.

La vie a commencé dans les eaux salées de la mer il y a des millions et des millions d'années. Tous les étages des océans sont peuplés, même les profondeurs les plus obscures qui nous révéleront sans doute un jour leurs mystérieux habitants.

La vie marine

Mers et océans recouvrent les deux tiers de la Terre. Ces eaux salées sont l'habitat d'une immense variété d'êtres vivants. On recense au moins 14 000 espèces de poissons et 160 000 espèces d'invertébrés – des animaux sans épine dorsale tels que les crabes, les moules et les étoiles de mer.

C'est dans la mer que la vie a commencé il y a des milliards d'années. Parmi les premières créatures marines, les méduses et les éponges sont apparues il y a environ 700 millions d'années. Les trilobites, couverts d'une carapace, vivaient tout au fond des mers il y a 500 millions d'années. Aujourd'hui, les scientifiques divisent la mer en zones, ou étages, selon la profondeur. À chaque zone correspond un peuplement particulier.

Segments du corps *comportant chacun une paire de pattes articulées (sous la carapace).*

Corps mou *protégé par une carapace dure.*

Trilobite fossile.

LA RESPIRATION DES POISSONS

De chaque côté de la tête d'un poisson se trouvent des organes spéciaux appelés branchies. Ces organes lui permettent d'absorber l'oxygène de l'eau. L'eau entre par la bouche du poisson, traverse les branchies où l'oxygène est extrait et passe dans le sang. L'opercule qui ferme les branchies se rouvre alors pour évacuer l'eau.

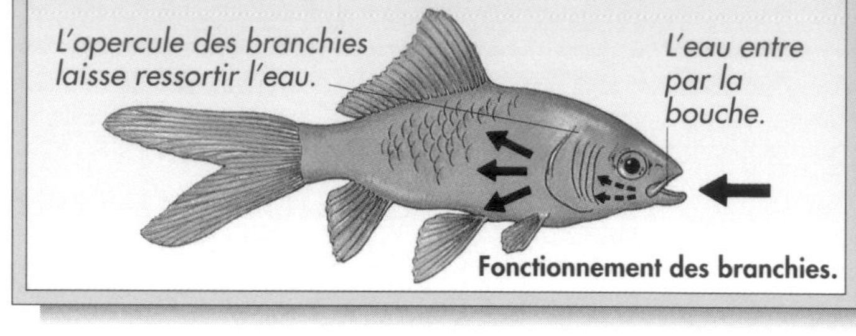
L'opercule des branchies laisse ressortir l'eau.
L'eau entre par la bouche.

Fonctionnement des branchies.

LES RÉCIFS DE CORAIL

Les récifs coralliens sont des milieux naturels sous-marins peuplés de millions de poissons et autres créatures marines. Les récifs sont constitués des squelettes d'animaux appelés polypes, qui sont apparentés aux anémones de mer. Ces récifs se développent dans des eaux chaudes et peu profondes, dans l'océan Indien et la mer Rouge, par exemple.

Corail et poissons multicolores dans la mer Rouge.

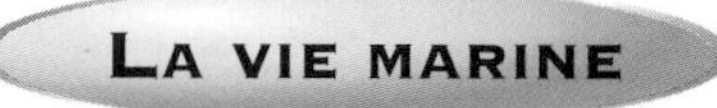

ZONE ÉCLAIRÉE

La lumière du soleil éclaire les eaux jusqu'à 150 m de profondeur. Comme les plantes terrestres, le plancton végétal qui vit dans cette zone utilise l'énergie lumineuse pour élaborer sa nourriture. Le plancton à son tour sert d'aliment à de nombreux animaux.

Le plancton est constitué de plantes et d'animaux microscopiques qui vivent dans la zone éclairée par le soleil.

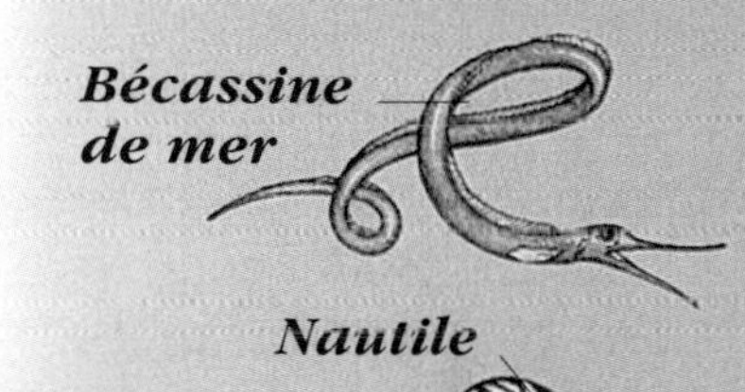

La vie dans les trois zones de la mer.

ZONE CRÉPUSCULAIRE

À partir de 200 m de profondeur, la lumière faiblit peu à peu et l'obscurité règne au-delà de 1 000 m. Entre ces deux niveaux se situe la zone crépusculaire. À mesure que l'on progresse vers les grandes profondeurs, le nombre et la diversité des animaux diminuent.

ZONE OBSCURE

Au plus profond de la mer, il fait nuit noire et l'eau est froide – autour de 0 °C. En dépit de ces conditions extrêmes, certains poissons et autres créatures séjournent dans la zone obscure. Pour survivre, ils s'entre-dévorent et se jettent sur la moindre miette de nourriture tombée des zones supérieures.

POUR EN SAVOIR PLUS
LA TERRE : les océans
LA VIE VÉGÉTALE : la photosynthèse

La vie du plancton

Des milliards de plantes et d'animaux microscopiques dérivent en suspension à la surface des mers et des océans : c'est le plancton. Ces plantes et ces animaux jouent un rôle capital dans la vie marine : ils y sont le premier maillon de la chaîne alimentaire. Le plancton végétal est mangé par le plancton animal, dont se nourrissent à leur tour des animaux plus complexes. Ainsi ce plancton minuscule est indispensable à la vie de nombreux animaux marins.

Larve de méduse, exemple de plancton animal.

Larve de crabe, ou jeune crabe.

LE PLANCTON ANIMAL

Au début de leur vie, certains animaux marins, comme les crabes, les méduses et certains poissons, entrent dans la composition du plancton. Jeunes, à l'état de larves, ils sont très différents de ce qu'ils seront à l'âge adulte. D'autres animaux, comme les copépodes, restent plancton toute leur vie.

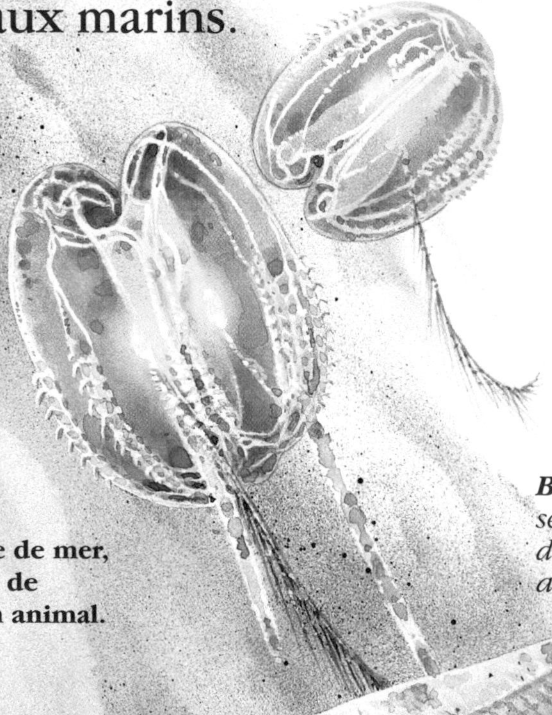

Groseille de mer, exemple de plancton animal.

Bébé poisson *se nourrissant de plancton animal.*

Le petit poisson *doit se garder des prédateurs, c'est pourquoi il a de grands yeux.*

Larve de poisson, exemple de plancton animal.

LA VIE MICROSCOPIQUE

Recueille un peu d'eau de mer dans un seau ou un bocal. Tu arriveras peut-être à distinguer à l'œil nu les taches de couleur que forment les amas de plancton. Pour mieux les voir, mets quelques gouttes d'eau sur une lamelle et regarde au microscope.

Observation du plancton à l'aide d'un microscope.

LE PLANCTON VÉGÉTAL

Le plancton végétal est constitué de plantes à une seule cellule (unicellulaire). Des millions de tonnes de plancton végétal poussent chaque année : c'est le « pâturage » de la mer qui nourrit d'innombrables animaux.

Plancton végétal.

Les organismes *unicellulaires qui constituent le plancton végétal forment une chaîne flottante.*

Le copépode sonde *l'eau de ses longues antennes pour trouver de la nourriture.*

Le copépode, un minuscule crustacé.

C'EST INCROYABLE !

★ Certaines espèces de dinoflagellés, éléments du plancton végétal, produisent de la lumière. La nuit, quand un bateau ou un nageur trouble la surface de l'eau, on peut les voir luire et scintiller dans le noir.

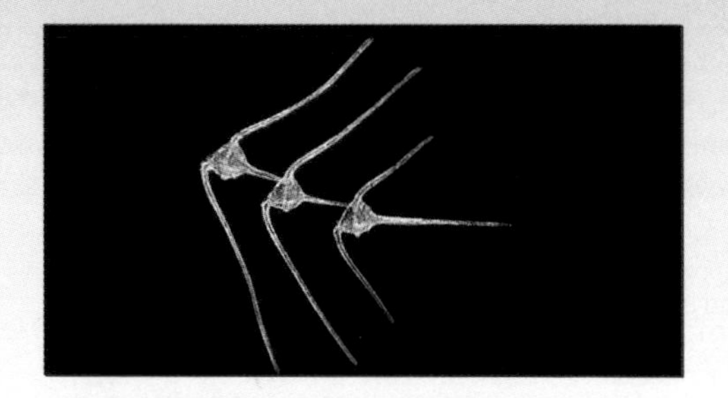

Les dinoflagellés luisent dans le noir.

MANGÉ OU ÊTRE MANGÉ

Les petits animaux qui forment le plancton, tels les vers-flèches, mangent des animaux encore plus petits ou du plancton végétal. La plupart des organismes qui se trouvent dans la mer vont servir de nourriture à d'autres organismes.

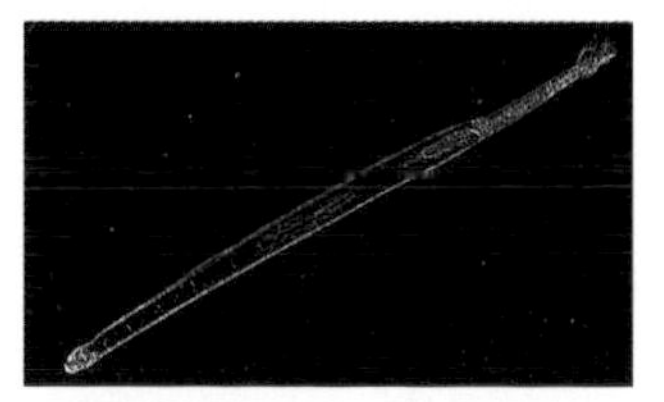

Ver-flèche.

POUR EN SAVOIR PLUS
LE CORPS HUMAIN : les cellules
LES INSECTES ET LES ARAIGNÉES : les crustacés

Éponges, anémones et méduses

Les éponges comptent parmi les animaux les plus simples. Le corps d'une éponge est plein de petits trous, comme un tamis. L'éponge absorbe l'eau, retient la moindre bribe de nourriture et rejette l'eau. Les anémones de mer et les méduses ont des tentacules urticants et un corps en forme de tube ou de sac. Elles appartiennent à une famille d'animaux qui comprend les coraux et la physalie ou galère portugaise.

DES ÉPONGES PAR MILLIERS

Dans les eaux profondes et peu profondes, existent des milliers d'espèces d'éponges différentes. Certaines sont petites et arrondies. D'autres ressemblent à de grands vases. L'euplectelle possède un squelette externe formé d'une dentelle de fibres.

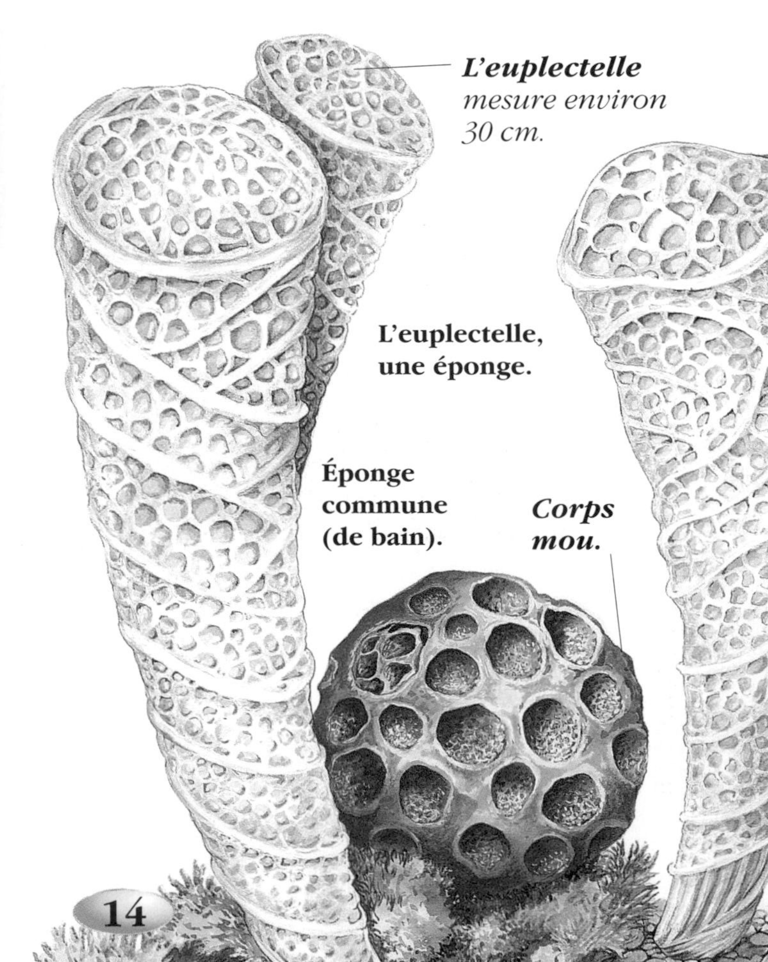
L'euplectelle *mesure environ 30 cm.*
L'euplectelle, une éponge.
Éponge commune (de bain).
Corps mou.
Des crevettes vivent *dans ses petites alvéoles.*
Le squelette semble *fait de fibres de verre.*
Elle pousse *sur le fond marin*
Éponge tubulaire.

DES TENTACULES URTICANTS

Fixée aux rochers grâce à une substance collante, l'anémone de mer agite ses tentacules venimeux. Si un poisson vient à les frôler, les tentacules le tuent d'une piqûre mortelle et le poussent dans la bouche de l'anémone.

Les tentacules *qui entourent la bouche se déploient pour attraper la nourriture.*

Anémones de mer.

Tentacules *rétractés.*

UNE FORÊT ANIMALE

On dirait de délicats arbustes, pourtant ce sont des animaux : les éventails de mer vivent souvent en colonies sur le plancher océanique, formant une petite forêt sous-marine.

Les éventails de mer font partie de la famille des coraux.

Colonie de méduses.

GELÉES NAGEUSES

Les méduses ont des corps transparents en forme de cloche ou d'ombrelle. Elles nagent en pompant et rejetant l'eau, ce qui les propulse en avant. Certaines méduses se déplacent en groupe, ou en colonie. La physalie, appelée aussi galère portugaise, capture ses proies grâce à de puissants tentacules urticants.

Galère portugaise.

Ses redoutables tentacules, *pourvus de cellules urticantes, peuvent atteindre 50 m de long.*

Cellules urticantes.

À l'intérieur *de la cellule s'enroule un fin filament barbelé contenant du poison.*

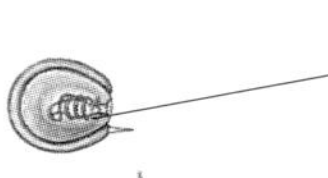

La cellule urticante *décoche son filament empoisonné sur la proie.*

Une proie frôle *les cellules urticantes.*

C'EST INCROYABLE !

★ **Les poissons-clowns échappent à leurs prédateurs en se cachant entre les tentacules venimeux des anémones de mer. Leur corps, enduit d'une substance visqueuse, est insensible au poison.**

Poissons-clowns et anémones de mer.

POUR EN SAVOIR PLUS
LE CORPS HUMAIN : le squelette
LES INSECTES ET LES ARAIGNÉES : les mécanismes de défense

Le monde des mollusques

Les plages sont jonchées de coquilles vides. Beaucoup de celles-ci ont été le domicile d'animaux marins au corps mou appelées mollusques, comme les palourdes, les huîtres, les moules et les escargots de mer. Ces mollusques utilisent une substance calcaire qui se trouve dans la mer pour se construire peu à peu une coquille protectrice. Les limaces de mer, les calmars et les pieuvres sont aussi des mollusques, mais, eux, dépourvus de coquille.

***Escargot de mer pourpre** suspendu à son radeau de bulles, attendant une proie.*

***Les bulles sont faites** d'une matière visqueuse sécrétée par le corps de l'escargot de mer.*

SUSPENDU À DES BULLES

L'escargot de mer pourpre vit à la surface des eaux. Incapable de nager, il se maintient à flot en produisant des centaines de bulles qui, agglomérées, forment un « radeau ». S'il est séparé de son radeau, il coule et meurt.

DES COQUILLES SIMPLES OU DOUBLES

La coquille de certains mollusques, comme les palourdes et les coquilles Saint-Jacques, est faite de deux pièces, ou valves, jointes par une charnière. On les appelle bivalves. D'autres, comme les escargots ou les buccins (bulots), ont une coquille univalve : ce sont les gastéropodes.

Vénus verruqueuse (une palourde), exemple de bivalve.

***Siphons et tubes** filtrent l'eau pour en extraire la nourriture.*

***Le buccin chasse** pour se nourrir.*

***Un « pied »** musculeux permet aux mollusques de se déplacer.*

Buccin européen, exemple de gastéropode.

Coquille Saint-Jacques refermant les deux moitiés de sa coquille.

Le jet d'eau propulse la coquille Saint-Jacques vers l'arrière.

EN BATTANT DES VALVES

Pour échapper à un prédateur, une étoile de mer par exemple, la coquille Saint-Jacques peut se déplacer très rapidement : elle pompe et expulse l'eau en ouvrant et refermant sa coquille. Ce jet la propulse vers l'arrière, ce qui la met hors d'atteinte.

C'EST INCROYABLE !

★ La palourde géante est le plus gros de tous les coquillages. Certaines palourdes dépassent 1 m de largeur et pèsent 250 kg.

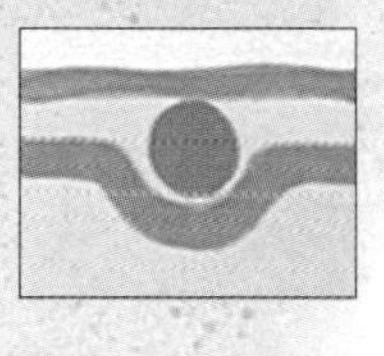
Une palourde géante et un plongeur.

Escargot de mer pourpre suspendu à ses bulles.

L'escargot de mer *mange des petits animaux marins comme les méduses.*

Au fur et à mesure *que l'escargot de mer grandit, des anneaux de croissance s'ajoutent sur sa coquille en hélice.*

LA NAISSANCE D'UNE PERLE

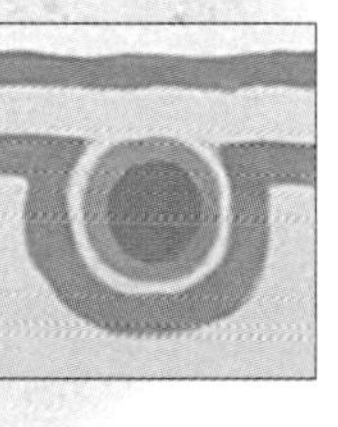

1 Un corps étranger irritant, comme un grain de sable, se coince à l'intérieur de la coquille d'une huître.

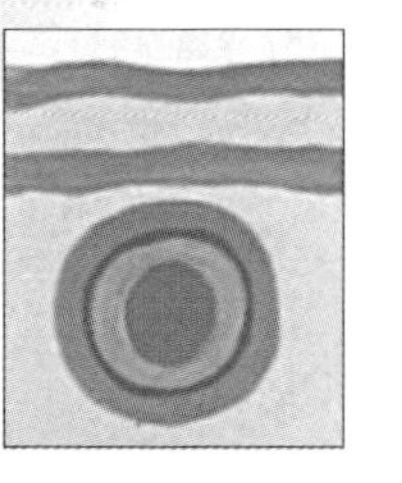

2 Pour protéger son corps tendre, l'huître enrobe le corps étranger avec de la nacre, sécrétée dans la couche interne de sa coquille.

3 Au bout d'un an ou plus, une perle ronde, lisse, s'est formée à l'intérieur de l'huître, mettant fin à l'irritation.

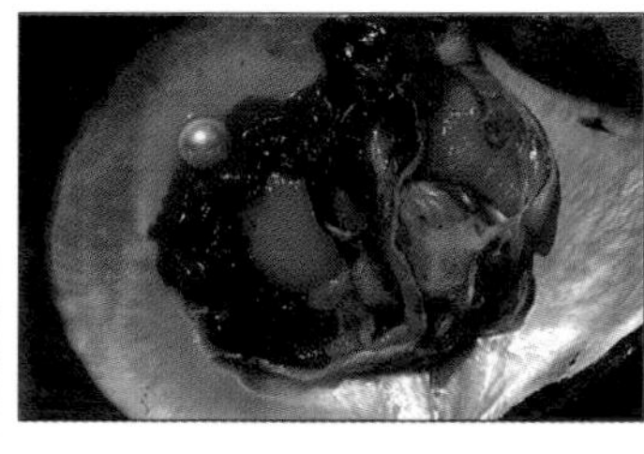
Huître ouverte révélant une perle.

POUR EN SAVOIR PLUS
LES SCIENCES QUI NOUS ENTOURENT :
la flottaison

La vie sur une côte sableuse

Deux fois par jour, la mer monte et descend sur le rivage. Ce mouvement de flux et de reflux ne facilite pas la vie des animaux du littoral. À marée basse, ils doivent se réfugier dans un endroit humide pour éviter le dessèchement. Quand la mer monte, ils doivent s'abriter pour ne pas être balayés par les vagues.

La plage a l'air déserte et pourtant une foule de bestioles s'active juste sous la surface du sable. Parmi elles : des vers, des mollusques, des crabes et même des poissons fouisseurs. Quand la mer descend, les petites anguilles de sable, ou équilles, s'enfouissent dans le sable et restent dans leur terrier humide jusqu'à la marée montante.

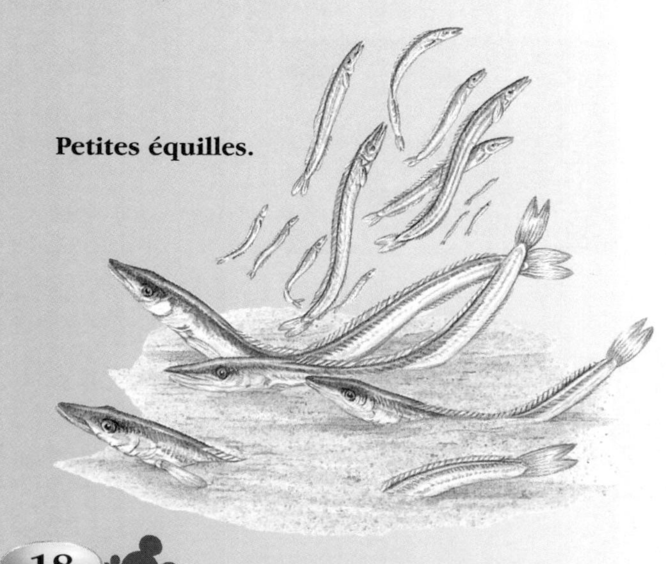

Petites équilles.

CRABES DU LITTORAL

Les crabes appartiennent à un groupe d'animaux à carapace dure appelés crustacés. Certains crabes vivent en eau profonde, d'autres sur les côtes sableuses où la nourriture, des mollusques par exemple, abonde. En cas de danger, les crabes s'enfouissent dans le sable. À l'abri dans son terrier, le crabe masqué peut respirer grâce à un long tube formé de ses antennes.

Goémon noir *(algue).*

Coquille de coque *vide laissée sur le rivage par la marée.*

Les étoiles de mer *se nourrissent de mollusques.*

Ver rouge *dans son terrier.*

Crabe masqué.

Le maçon des sables *(ver) récolte de la nourriture dans ses tentacules.*

Le ver-ruban rouge *(ver plat) peut mesurer 15 cm.*

LE FOUISSEUR À PIQUANTS

Le spatangue est une espèce d'oursin. Il creuse le sable à l'aide de ses piquants courts et durs, à la recherche des petits débris animaux et végétaux qui constituent sa pitance.

LE SABLE AU PEIGNE FIN

La marée dépose une multitude de choses fascinantes sur la plage. Pars à la recherche de coquilles de mollusques, de capsules à œufs de requins ou de raies, qu'on appelle oreillers de mers, et de crabes morts… Mais, souviens-toi : on ne doit ramasser que les coquilles et carapaces vides.

À la recherche de coquillages et de capsules à œufs.

MOLLUSQUES SOUTERRAINS

De nombreux mollusques sont tapis juste au-dessous de la surface sableuse. Quand la mer monte, ils sortent un tube, aspirent de l'eau et la filtrent pour garder des petits débris de nourriture. Le couteau, de la famille des palourdes, s'enfonce dans le sable plus vite qu'on ne peut creuser avec une pelle.

DES VERS FOUISSEURS

Vers-rubans (némertes), néréides et vers rouges s'enfouissent dans le sable. Les vers rouges rejettent des petits tortillons de sable à une entrée de leur terrier en forme de U. Les sabelles logent dans des tubes formés de grains de sable collés par un mucus visqueux.

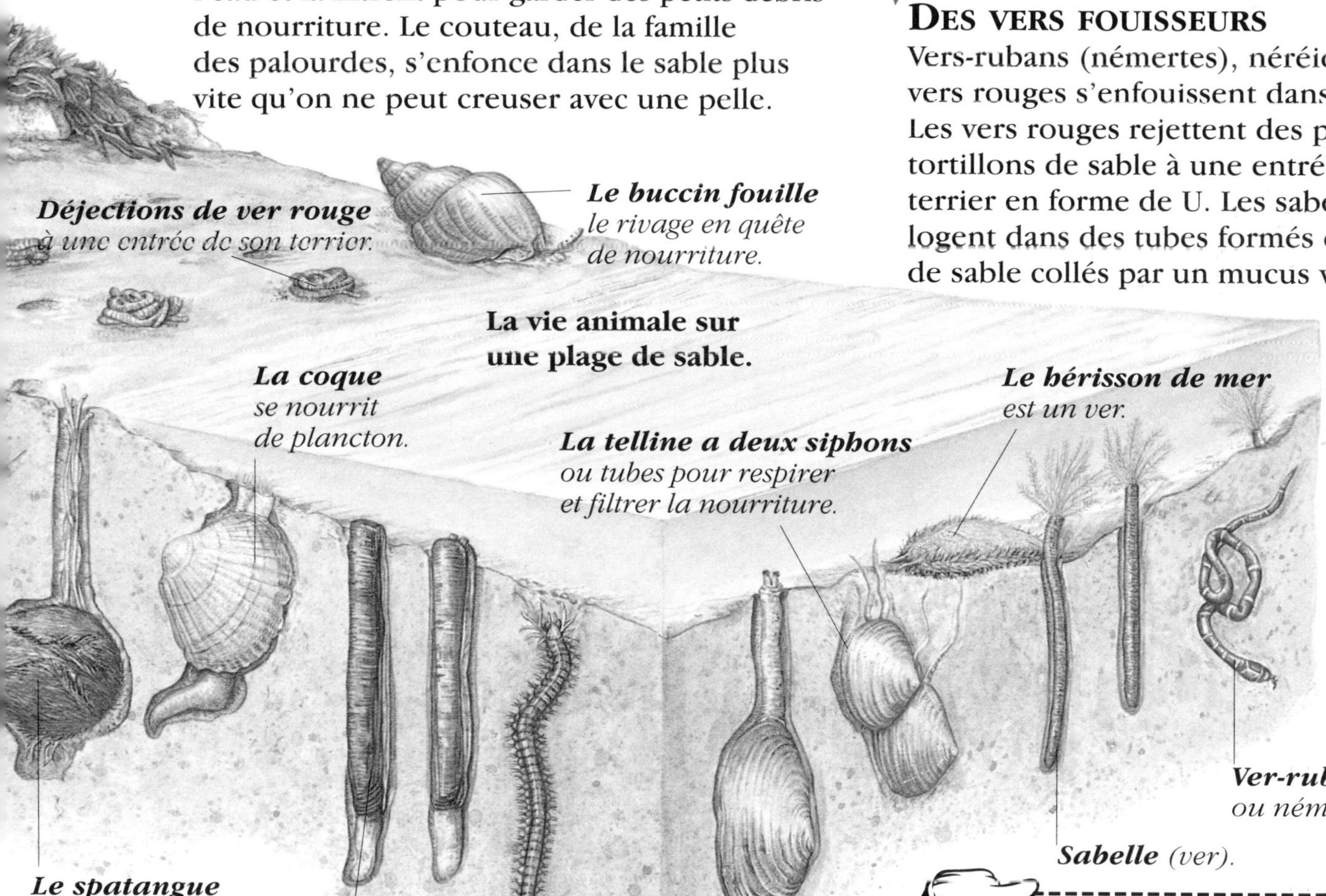

Déjections de ver rouge *à une entrée de son terrier.*

Le buccin fouille *le rivage en quête de nourriture.*

La vie animale sur une plage de sable.

La coque *se nourrit de plancton.*

La telline a deux siphons *ou tubes pour respirer et filtrer la nourriture.*

Le hérisson de mer *est un ver.*

Ver-ruban, *ou némerte.*

Sabelle *(ver).*

Le spatangue *(oursin) a de longs tubes pour s'alimenter.*

Les couteaux *ressemblent aux rasoirs à manche d'autrefois.*

Néréide au corps *segmenté.*

La clovisse *(palourde).*

POUR EN SAVOIR PLUS
LES OISEAUX : les oiseaux aquatiques
LA TERRE : les marées

Pieuvres et calmars

Les pieuvres ou poulpes, les calmars et les seiches sont des mollusques, mais n'ont pas de carapace pour protéger leur corps mou en forme de sac. Tous ont huit long bras et les calmars et les seiches ont en outre deux petits tentacules dont ils se servent pour saisir leurs proies. Les pieuvres au gros cerveau et à la vue perçante passent pour les plus intelligents des invertébrés.

À la moindre menace, *le poulpe crache un nuage d'encre qui fait écran et protège sa fuite.*

Les bras portent *deux rangées de ventouses.*

L'entonnoir expulse *un jet d'eau qui envoie le poulpe vers l'arrière.*

Banc de calmars.

Calmars rapides

Les calmars se déplacent souvent en groupes appelés bancs. Ils nagent par pulsions saccadées à des vitesses qui peuvent atteindre 32 km/h. C'est l'eau pompée dans le corps et expulsée à travers un tube, ou entonnoir, situé près du cou, qui les propulse.

Cracheurs d'encre

Les pieuvres, les calmars et les seiches émettent d'épais nuages d'encre brune ou noire pour aveugler l'ennemi et profitent de ce répit pour s'esquiver. Cette encre est sécrétée dans une poche spéciale à l'intérieur de leur corps.

Poulpe assailli par un requin.

Aveuglé par l'encre, *le requin bat en retraite.*

Ses bras permettent *au poulpe de se déplacer sur le fond sableux.*

LE CAMOUFLAGE DE LA SEICHE

Pour se cacher d'un prédateur, la seiche change de couleur. Il lui suffit de modifier la taille des petites poches de couleur sur sa peau, et elle se fond dans le décor. La seiche change aussi de couleur pour menacer des ennemis.

La seiche mâle en colère se couvre de taches.

C'EST INCROYABLE !

★ Le poulpe à bord bleu d'Australie ne mesure que 15 cm, mais sa morsure redoutable peut tuer un homme en cinq minutes.

DANS SA COQUILLE

Le nautile est un cousin du calmar et du poulpe, mais il vit à l'intérieur d'une coquille. À mesure qu'il grandit, sa coquille développe de nouvelles « loges ». Le nautile occupe la dernière loge en date, la plus spacieuse. Les autres sont emplies de gaz et de fluides qui lui permettent de s'élever au-dessus du fond de la mer.

Autour de la tête *du nautile, pas moins de 90 tentacules prêts à se saisir d'une proie.*

Nautile en position de nage.

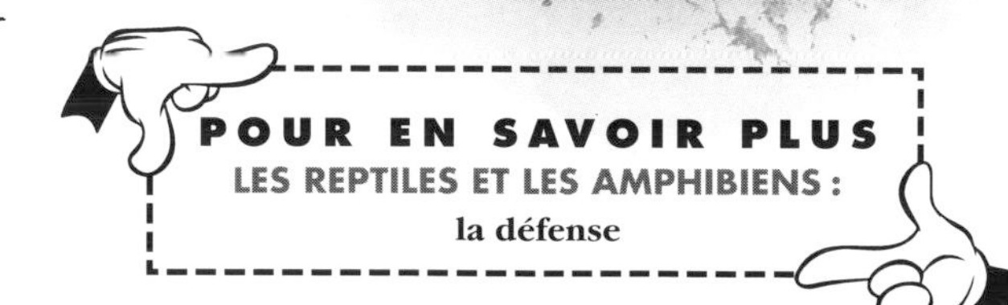

POUR EN SAVOIR PLUS
LES REPTILES ET LES AMPHIBIENS :
la défense

Les crustacés

Au sein de la famille des invertébrés, homards, langoustes, crabes, crevettes et bernacles forment le groupe des crustacés. La plupart d'entre eux ont une carapace dure, des pattes articulées pour nager et marcher et deux paires d'antennes sur la tête. Ils vivent dans la mer et sur le rivage. Les crabes et les homards se servent de leurs grandes pinces acérées pour se nourrir et se défendre.

Procession de langoustes sur les fonds marins.

Pattes *articulées.*

À LA QUEUE LEU LEU

À la fin de l'été, de longues processions de langoustes se forment sur le plancher océanique. Partant de la côte Atlantique de l'Amérique du Nord, elles vont passer l'hiver dans les eaux plus chaudes des Caraïbes. Chaque langouste se sert de ses antennes pour garder le contact avec celle qui la précède dans la file.

Le gobie et la crevette aveugle.

« TERRIERS À PARTAGER »

La crevette aveugle partage son terrier au fond de la mer avec un petit poisson appelé gobie. La crevette creuse le terrier qui les abrite tous deux. Le gobie, lui, se charge de donner l'alerte en cas de danger.

La langouste *parcourt jusqu'à 15 km par jour.*

Les langoustes *se déplacent en procession d'une soixantaine d'individus.*

LES BERNACLES

Contrairement aux autres crustacés, les bernacles ne se déplacent pas. Elles s'accrochent à une surface dure, un rocher ou la coque d'un bateau. Puis, d'un orifice situé au sommet de leur coquille, elles déploient des appendices plumeux pour filtrer les particules de nourriture en suspension dans l'eau.

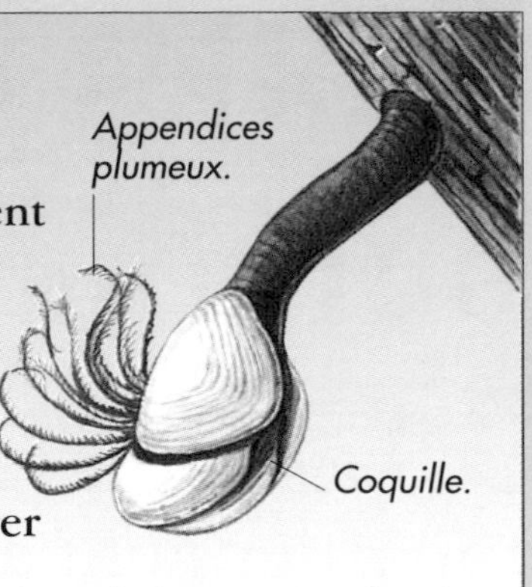

Appendices plumeux.

Coquille.

La bernacle fixée à une surface dure.

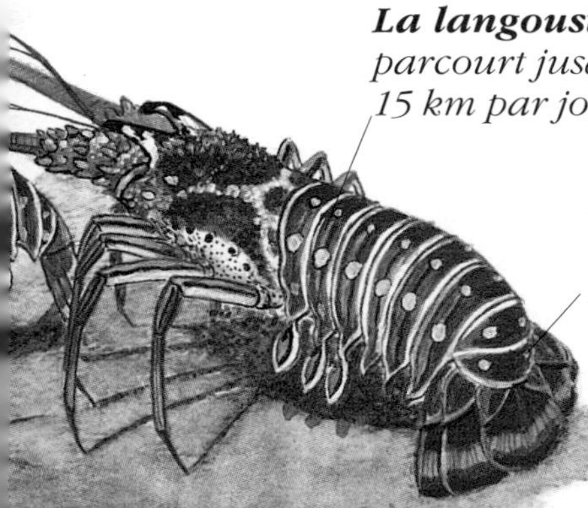

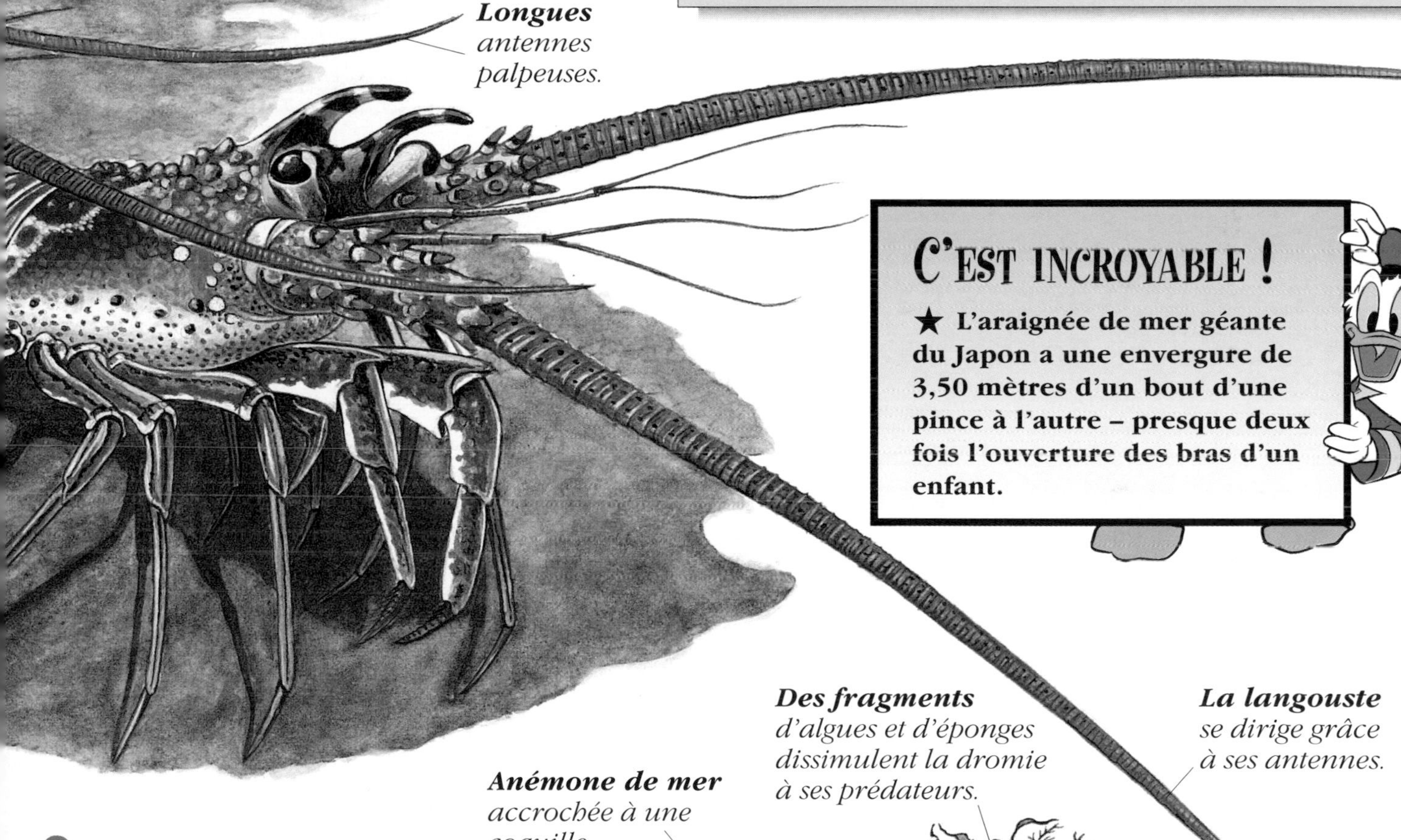

Longues *antennes palpeuses.*

C'EST INCROYABLE !

★ **L'araignée de mer géante du Japon a une envergure de 3,50 mètres d'un bout d'une pince à l'autre – presque deux fois l'ouverture des bras d'un enfant.**

Des fragments *d'algues et d'éponges dissimulent la dromie à ses prédateurs.*

La langouste *se dirige grâce à ses antennes.*

Anémone de mer *accrochée à une coquille.*

Coquille.

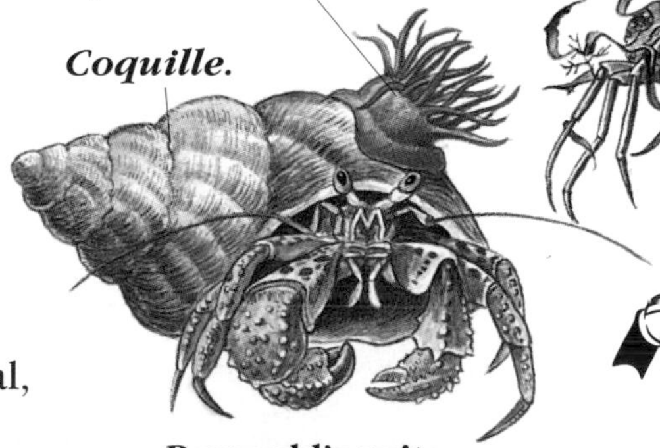

Dromie.

Bernard-l'ermite.

SUPER PROTECTION

Certains crabes ont développé d'étonnantes méthodes de protection. Le bernard-l'ermite, dont la coquille est molle, se réfugie dans une coquille abandonnée par un autre animal, un buccin ou un bigorneau par exemple. Les dromies maintiennent sur leur dos des fragments d'éponges et d'algues pour se dissimuler.

POUR EN SAVOIR PLUS
LA COMMUNICATION :
les antennes

Étoiles de mer, oursins et vers

Les étoiles de mer et les oursins appartiennent à la famille des échinodermes : ils ont des épines piquantes pour se protéger des prédateurs, et des centaines de pieds pour se déplacer sur le plancher océanique. Des vers peuplent aussi les mers. Certains sont d'excellents nageurs, mais d'autres passent leur vie enfouis dans un terrier.

★ **Certaines étoiles de mer ont des yeux au bout de leurs bras.**

★ **L'étoile de mer-soleil est une géante. Elle mesure environ 1,30 m d'un bout à l'autre.**

Au centre du corps *se trouve une grande bouche.*

Étoile de mer dévorant une palourde.

L'étoile de mer *insère son estomac à l'intérieur de la palourde et digère sa chair.*

OBSERVONS LES ÉTOILES

Une étoile de mer a cinq bras ou plus autour de son corps, ou disque central. Si un bras est abîmé, il peut se reconstituer en quelques semaines. L'étoile de mer se nourrit de mollusques et de corail.

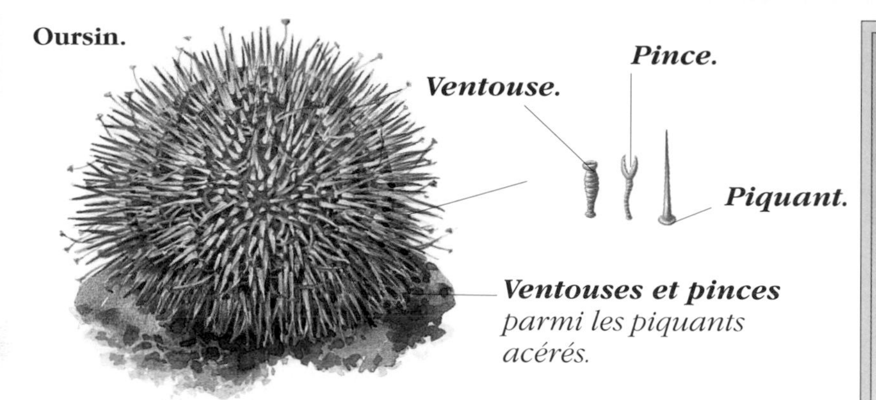

DÉFENSE GLUANTE

Le concombre de mer n'est pas une plante – il est apparenté à l'étoile de mer et à l'oursin. Pour se défendre, il lance un faisceau de filaments visqueux. Tandis que l'assaillant est occupé à se désengluer, le concombre de mer s'éloigne sur ses pieds tubulaires.

Le concombre de mer se fixe aux roches grâce à de minuscules ventouses.

DES COQUILLES PLEINES D'ÉPINES

Les oursins ont des enveloppes rondes et dures hérissées de piquants. Acérés et venimeux, ces piquants sont de véritables armes. Certains oursins s'en servent aussi pour s'enfouir dans le sable. Les oursins sont munis de ventouses et de pinces pour capturer leurs proies.

Piquants.

Les longs bras puissants *enserrent la proie.*

Les minuscules pieds *tubulaires munis de ventouses ouvrent la palourde de force.*

Palourde *prise au piège.*

VERS MARINS

Les vers marins ont des modes de vie très variés. Le spirographe est orné d'un panache de tentacules qui piègent les particules alimentaires. Le ver polychète est un chasseur infatigable. Le hérisson de mer velu se cache dans les fonds vaseux ou sablonneux.

Spirographes ou vers-éventail amarrés au fond marin.

Tentacules.

Ver polychète.

Soies *piquantes.*

Corps recouvert *de poils fins.*

Hérisson de mer.

POUR EN SAVOIR PLUS
LE CORPS HUMAIN :
l'estomac

La vie sur les côtes rocheuses

Les animaux qui vivent sur les côtes rocheuses doivent s'adapter à des conditions très difficiles. L'assaut des vagues, à marée montante, risque de les emporter au large ou de les fracasser contre la roche. Certains animaux et certaines plantes, comme les algues, se fixent aux rochers. D'autres se réfugient dans des mares d'eau de mer.

Les patelles, ou chapeaux chinois, et les bigorneaux s'accrochent aux rochers grâce à leurs ventouses. Le pied du chapeau chinois n'est qu'une grosse et puissante ventouse : une fois fixée à un rocher, rien ne peut l'en arracher, pas même la force des vagues. Mais ces mollusques peuvent se détacher eux-mêmes et se déplacer pour chercher leur pitance.

La ventouse du chapeau chinois se trouve à la base de son corps.

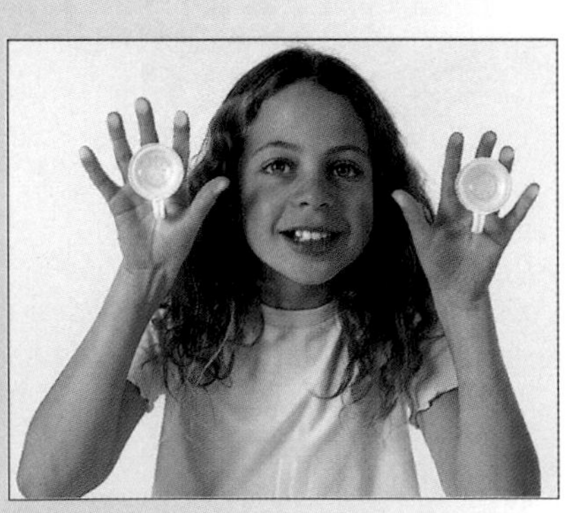

Colle des ventouses en caoutchouc sur une vitre pour voir comment le chapeau chinois résiste aux vagues.

De vrais crampons

La pholade, ou datte de mer, et la moule, des mollusques toutes deux, ont des méthodes différentes pour éviter d'être emportées par le ressac. La pholade se fore une galerie dans la roche tendre avec sa coquille dure. La moule s'attache au rocher grâce à son byssus, un écheveau de filaments sécrétés par son corps.

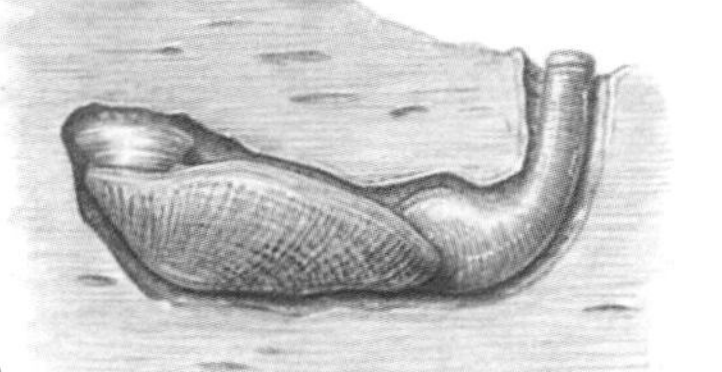

Pholade terrée dans la galerie qu'elle a forée dans la roche.

Laminaires *(algues).*

Bigorneaux.

Oursin vert.

La crevette se fond *dans son milieu.*

Janie corail *(algue).*

Rapides à la détente

Avec leurs pattes articulées, les crustacés comme les crabes et les crevettes sont beaucoup plus mobiles que les mollusques. Ils peuvent, d'un mouvement vif, attraper de la nourriture ou disparaître dans une cachette. Les crustacés sont les charognards des mares : animaux morts, débris de plantes, ils mangent tout !

Des puces cuirassées

Les puces et les poux de mer sont des petits crustacés. Ils vivent dans la zone découverte par la marée et se réfugient parmi les algues pour conserver leur humidité.

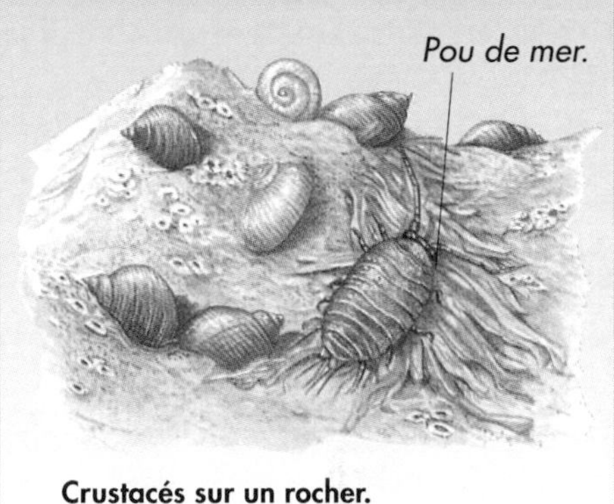

Crustacés sur un rocher.

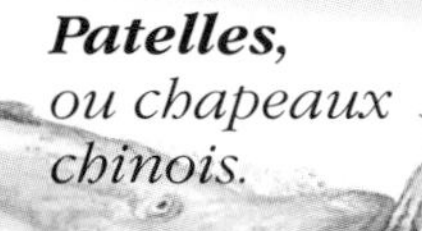

Patelles, *ou chapeaux chinois.*

Moules.

Le varech dentelé *a une surface épaisse comme du cuir qui lui conserve son humidité.*

Blennie tapie *parmi les algues.*

Anémone pulpeuse.

Limace de mer.

Étoile bossue.

Crabes *à grandes pinces.*

Gobie brun.

Étoile de mer *s'apprêtant à engloutir des moules.*

Petits poissons dans la mare

Les mares dans les crevasses des rochers offrent des cachettes idéales aux petits poissons comme les gobies et les blennies. Les petits poissons peuvent aussi se dissimuler dans le fouillis des algues.

POUR EN SAVOIR PLUS
LA TERRE : les vagues
LA VIE VÉGÉTALE : les algues

La vie dans une mare de rocher.

Raies et poissons-scies

La plupart des poissons ont des squelettes osseux, mais les raies et les poissons-scies, eux, ont des squelettes caoutchouteux faits de cartilage. Ce sont des poissons étranges : leur corps mince et plat s'élargit en vastes nageoires semblables à des ailes, et se termine par une longue queue effilée. Hôtes des fonds marins, ils s'y dissimulent aisément grâce à leur forme plate et leur couleur gris-brun.

C'EST INCROYABLE !

★ Les raies manta peuvent jaillir hors de l'eau et planer dans les airs.

★ Avec ses 1 600 kg, la mante du Pacifique pèse plus lourd que 25 personnes réunies.

Poisson-scie.

BOÎTES À ŒUFS

Les raies, comme le pocheteau, pondent leurs œufs dans des capsules cornées, appelées oreillers de mer, qui les protègent. Des appendices piquants situés aux quatre coins fixent ces capsules aux rochers ou aux algues en eau peu profonde. Les œufs éclosent au bout de quelques mois.

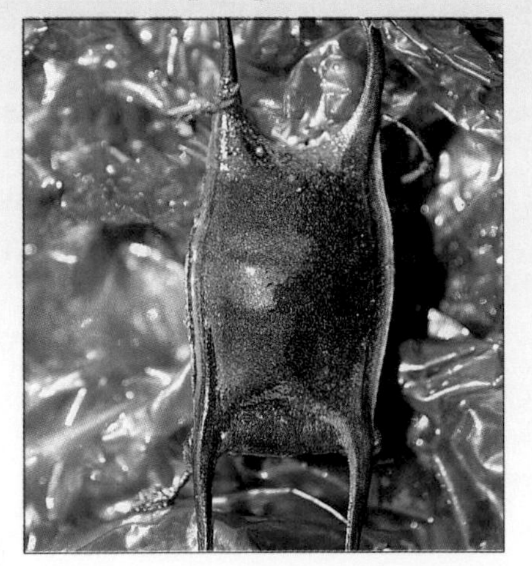

Capsule à œufs de raie amarrée dans des algues.

UN TUEUR AU NEZ POINTU

Le poisson-scie a un corps plus arrondi que les autres raies et un long rostre (nez) pointu en forme de scie bordé de deux rangées de dents pointues. Le poisson-scie charge les poissons qui nagent en banc en agitant son rostre et parvient à en assommer ou en tuer quelques-uns.

Avec ses fines nageoires *plates semblables à des ailes, la raie paraît voler dans l'eau.*

Raie manta.

Les raies géantes

La raie manta géante a une envergure de 8 m d'un bout d'une nageoire à l'autre – presque autant qu'un deltaplane déployé. C'est la plus grande des raies. Elle se propulse lentement, avec grâce, en faisant onduler le bord de ses « ailes » immenses.

La longue mâchoire *acérée découpe les proies comme une scie.*

La tête porte une paire *d'appendices cornus.*

La peau, sans écailles, *est rugueuse comme du papier de verre.*

Raie manta géante.

Les fentes brachiales, *dépourvues d'opercules, s'ouvrent directement sur l'extérieur.*

Pastenagues et torpilles

La pastenague, une espèce de raie, possède une queue en fouet armée d'un fort aiguillon pour se défendre. La torpille, elle, disperse ses assaillants ou paralyse sa proie d'une décharge électrique si puissante qu'elle pourrait jeter un homme à terre.

Queue en fouet *munie d'un aiguillon.*

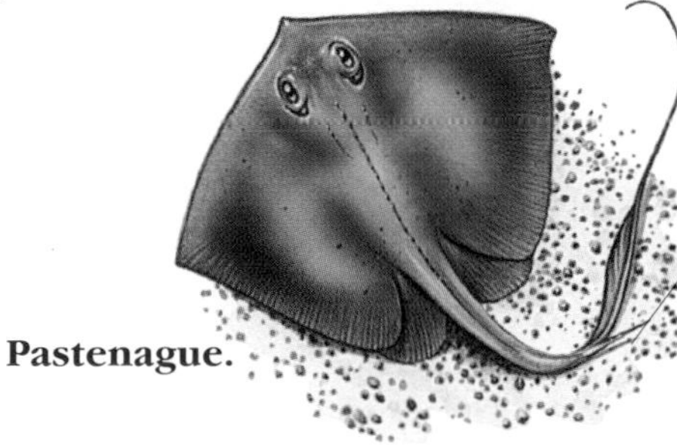

Pastenague.

Torpille (raie électrique).

POUR EN SAVOIR PLUS
LE CORPS HUMAIN : le cartilage
LES SCIENCES QUI NOUS ENTOURENT : l'électricité

Les requins

Les requins, comme les raies, ont un squelette cartilagineux, et non pas osseux. Leur corps fuselé est profilé pour la vitesse ; leur peau est couverte de petites écailles aiguës comme de minuscules dents. Tous les requins ne sont pas des chasseurs agressifs et rapides comme l'éclair. Certains restent enfouis dans le sable à l'affût d'une proie ; d'autres se nourrissent simplement de plancton.

Phoque pris au piège *de la gueule du requin.*

Les crocs de la mer

Le grand requin blanc, qui peut atteindre 6,5 m de long, est un redoutable tueur. Son odorat très développé lui permet de pister poissons et phoques. Mais, malgré sa réputation de mangeur d'hommes, il est rare qu'il tue des humains.

Sa queue *puissante lui sert de gouvernail.*

À pleines dents

Le petit squale féroce est doté d'une rangée de dents circulaire pour déchirer ses proies et leur arracher des morceaux de chair.

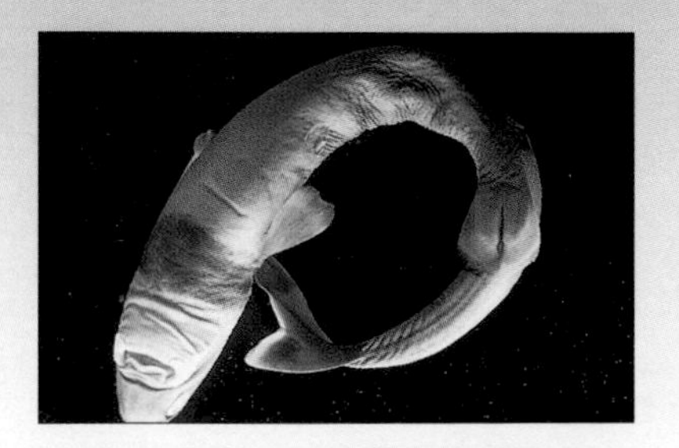

Petit squale féroce vu d'en dessous.

Un géant paisible

Le requin-baleine est le plus grand des poissons de mer ; adulte, il peut dépasser 15 m – aussi long que quatre grandes voitures mises bout à bout. Ce géant inoffensif se nourrit exclusivement de plancton animal.

Requin-baleine.

Les mâchoires sont garnies de rangées de dents pointues – environ 250 en tout.

C'EST INCROYABLE !

★ **Le requin-chat nain est le plus petit de tous les requins. Adulte, il ne mesure que 25 cm – plus petit que ce livre.**

UNE TÊTE EN FORME DE MARTEAU

Le requin-marteau a une narine et un œil à chaque extrémité de sa tête biscornue. Pour repérer ses proies, il doit balancer sa tête d'un côté et de l'autre.

Grâce à son corps fuselé, le requin se déplace vite et fond sur sa proie par surprise.

Grand requin blanc attrapant un phoque.

La grande nageoire dorsale assure la stabilité du requin dans l'eau.

Sa tête en forme de marteau améliore sans doute sa vue et son odorat.

Requin-marteau.

Un œil et une narine à chaque extrémité de la tête en marteau.

POUR EN SAVOIR PLUS
LES DINOSAURES : les dents
LE CORPS HUMAIN : l'odorat

Le monde des anguilles

Les anguilles sont des poissons qui peuplent mers et océans tout autour du globe. La plupart des anguilles ont une peau visqueuse dépourvue d'écailles et beaucoup n'ont pas de nageoires latérales. Certaines anguilles migrent vers des eaux douces, où elles passent une partie de leur vie.

De longues mâchoires *pour happer les crevettes au passage.*

Bécassine de mer.

Jardin d'anguilles à demi-enfouies dans la vase.

COMME UN JARDIN D'ANGUILLES

Certaines anguilles se creusent des terriers dans les fonds marins. Elles chassent, la queue plantée dans la vase et la tête dressée, prêtes à happer tous les petits poissons qui passent à leur portée.

TOUT EN BEC

La bécassine de mer vit en eaux profondes. Ses longues et fines mâchoires, qui ressemblent au bec d'une bécassine, sont armées de petites dents acérées comme des aiguilles, faites pour attraper les crevettes.

C'EST INCROYABLE !

★ La murène fait bon accueil à une crevette qui pénètre dans sa bouche pour s'y nourrir des déchets accrochés à ses dents. La murène a des dents propres, la crevette un bon repas, et tout le monde est content.

LA MIGRATION DES ANGUILLES

Certaines anguilles naissent en haute mer. Les bébés minuscules dérivent ensuite sur d'immenses distances vers les eaux côtières. Devenues des civelles (jeunes anguilles), elles remontent les rivières et passent plusieurs années en eau douce. À l'âge adulte, elles retournent vers la mer pour se reproduire.

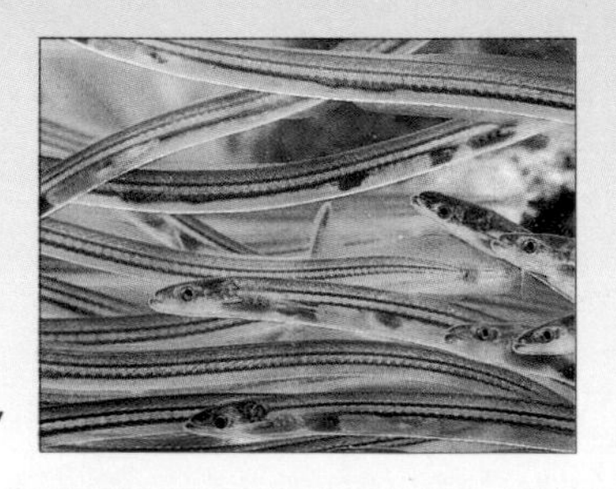

Jeunes anguilles, ou civelles.

Murène.

Ses mâchoires puissantes *armées de dents comme des crocs font de la murène un chasseur redoutable.*

Long corps *serpentiforme.*

Une grande bouche *et des dents longues et fines pour croquer poissons et crustacés.*

LES MURÈNES

Parmi les plus grandes anguilles se trouvent les murènes, qui mesurent plus de 3 m. Elles vivent dans les mers tropicales, où elles passent la journée cachées dans les crevasses des rochers ou les récifs coralliens. La nuit, elles partent en chasse de poissons ou de crustacés.

Murène sortant de sa cachette.

La murène a un corps *plus épais et plus lourd que les autres anguilles.*

POUR EN SAVOIR PLUS
LA TERRE : les rivières
LES MAMMIFÈRES : l'hygiène dentaire

La vie dans un récif corallien

Le récif de corail est la forêt tropicale de la mer, grouillant de vie comme la vraie forêt tropicale. Le récif s'édifie à partir des squelettes de minuscules animaux coralliens appelés polypes, qui sont apparentés aux anémones de mer.

Les polypes coralliens tirent de la mer des sels minéraux pour développer un squelette dur, en forme de petite coupe, autour de leur corps mou. Quand un polype meurt, son squelette subsiste. Et c'est l'association de milliards de ces squelettes qui forme peu à peu le récif. Les animaux coralliens, ayant besoin de chaleur, ne vivent que dans des eaux dont la température dépasse 21 °C.

Atoll, récif corallien formant un anneau autour d'une île du Pacifique, vue du ciel.

CORAIL ANIMAL

Le polype a la forme d'un sac béant frangé de tentacules urticants. Il se sert de ses tentacules pour happer la nourriture et la porter à sa bouche située au milieu de son corps.

Polype corallien.

POISSONS COLORÉS DES CORAUX

La majorité des poissons coralliens sont bigarrés, zébrés ou tachetés de couleurs éclatantes. Ces couleurs et ces motifs infiniment variés permettent au poisson de reconnaître ses congénères au milieu de la multitude grouillante qui peuple le récif.

La vie au milieu des coraux.

Le requin des récifs *se nourrit d'autres poissons.*

Poisson-perroquet.

Murène *dans sa cachette.*

Baliste-clown.

La riche vie du récif

Le récif corallien constitue une source de nourriture pour une multitude d'animaux. Polypes en abondance et cachettes nombreuses y attirent toutes sortes de petits poissons, de crustacés et de mollusques, ce qui en fait un terrain de chasse idéal pour les poissons plus gros.

Corail-bois de cerf.

Les poissons-anges *possèdent des mâchoires puissantes pour broyer les polypes.*

Éventail de mer.

Éponge tubulaire.

Mérou.

Le récif de corail *offre d'innombrables cachettes.*

Poisson-ange *à guirlande bleue.*

Corail-cerveau.

Limace de mer : *un mollusque sans coquille.*

Poisson-papillon *circulant parmi les coraux.*

Questions de forme et d'espèce

De nombreux animaux coralliens s'associent en colonies. La forme de la colonie varie selon les espèces. Le corail-cerveau, par exemple, prend la forme d'un dôme qui peut atteindre 1,20 m de largeur.

Piquants et venimeux

Pour éviter d'être mangés, les animaux marins ont différents systèmes de défense. Les uns comptent sur leur vitesse pour échapper aux prédateurs ; les autres se cachent ; d'autres, enfin, comme le poisson-globe ou le poisson-scorpion, sont équipés d'épines et de piquants acérés qui sont souvent extrêmement venimeux.

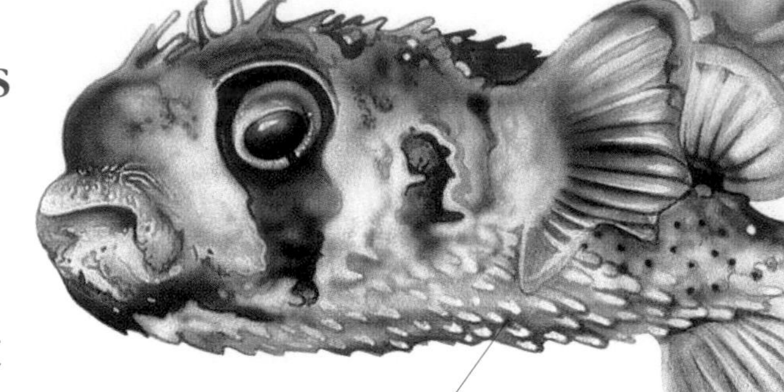

Poisson-porc-épic face à une menace.

Le poisson *dilate son corps.*

En temps normal, *les épines sont aplaties le long du corps.*

Poisson-porc-ép au repos.

C'EST INCROYABLE !

★ **Le poisson-globe à la piqûre mortelle est un mets de choix au Japon. Mais, avant d'être dégusté, il doit passer entre les mains de cuisiniers spécialement formés pour enlever ses parties vénéneuses.**

GONFLÉ À BLOC

Le poisson-porc-épic est une espèce de poisson-globe entièrement recouvert d'épines pointues. Face à une menace, il se gonfle d'eau ou d'air comme un ballon et devient si gros et si piquant que pratiquement aucun prédateur ne peut l'avaler.

POISSON-GLOBE EN BAUDRUCHE

Gonfle un ballon. Attache bien l'extrémité et peins des yeux, une bouche et des épines à l'encre noire. Puis recommence à gonfler le ballon : tu verras le poisson-globe enfler.

Un ballon et de l'encre pour faire un poisson-globe.

Les longues épines *dorsales contiennent un poison.*

Les épines *se hérissent pour dissuader d'éventuels assaillants.*

DANGER POISON !

Le poisson-scorpion vit dans les récifs coralliens. Sa livrée aux éclatantes rayures dissimule des armes terrifiantes : de longues épines sur le dos et de minuscules épines acérées sur chaque nageoire. Ces piquants contiennent un poison mortel pour qui s'y frotte. Les couleurs vives du poisson-scorpion signalent aux autres animaux de rester à distance.

À la moindre menace, *le poisson-scorpion déploie ses nageoires meurtrières.*

Poisson-scorpion.

Poisson-pierre tapi sur le fond marin.

LE POISSON-PIERRE

Il a l'apparence d'une pierre inoffensive posée sur le fond de la mer, mais c'est l'un des poissons les plus dangereux du monde. Sous le coup d'une menace, le poisson-pierre hérisse des piquants venimeux capables de transpercer la semelle d'une chaussure.

Le saumon du Pacifique

Un ours pêche *un saumon d'un coup de patte.*

La plupart des poissons passent toute leur vie soit dans la mer, soit dans l'eau douce des rivières et des lacs. Les saumons, eux, se partagent entre les deux. Ils naissent dans les rivières et les torrents et vivent là 2 ou 3 ans puis, descendant les cours d'eau, ils rejoignent la mer pour achever leur croissance. Quelques années plus tard, ils font le chemin en sens inverse, remontant les cours d'eau vers leur lieu de naissance pour se reproduire à leur tour et mourir. Ils ne s'accouplent qu'une fois dans leur vie.

LE CYCLE DU SAUMON

Les saumons pondent leurs œufs dans les rivières. Les œufs donnent naissance à de minuscules poissons, les alevins. Les alevins transportent des réserves de nourriture dans une poche jusqu'à ce qu'ils se transforment en smolts (jeunes saumons), capables de se nourrir seuls. Les smolts entreprennent alors leur descente vers la mer. Les adultes reviennent à leur rivière natale pour frayer. Puis ils meurent.

1 L'œuf (vue agrandie) donne naissance à un alevin.

2 L'alevin devient smolt.

3 Le smolt descend vers la mer.

4 Le saumon adulte remonte vers sa rivière natale.

5 Les adultes meurent très vite après la ponte et le cycle recommence.

LA COURSE DU SAUMON

Le retour du saumon à sa rivière natale est un périple semé d'épreuves : nageant à contre-courant, il s'épuise à franchir les chutes d'eau et à se soustraire des prédateurs, comme les aigles et les ours, qui guettent son passage.

Saumon du Pacifique bondissant à contre-courant.

C'EST INCROYABLE !

★ **Sur 3 000 œufs pondus par une femelle de saumon, seuls 300 viendront à éclosion. Parmi eux, 4 ou 5 seulement atteindront l'âge adulte et encore moins reviendront à leur rivière natale pour s'y reproduire.**

Amérique du Nord.

Asie.

Japon, *point de départ et terme du voyage.*

La migration du saumon.

Parcours du saumon.

Pacifique nord.

Pygargue à tête blanche *et autres prédateurs à l'affût près de la chute d'eau.*

Saumon tentant *de franchir une chute d'eau.*

Grâce à ses muscles *puissants, le saumon peut faire des sauts fantastiques.*

UN VOYAGE AU LONG COURS

Le saumon du Pacifique quitte sa rivière natale au Japon et nage jusqu'au Pacifique nord où il se nourrit et devient adulte. Plus tard, il remonte jusqu'à sa rivière du Japon. Ce long voyage s'appelle migration.

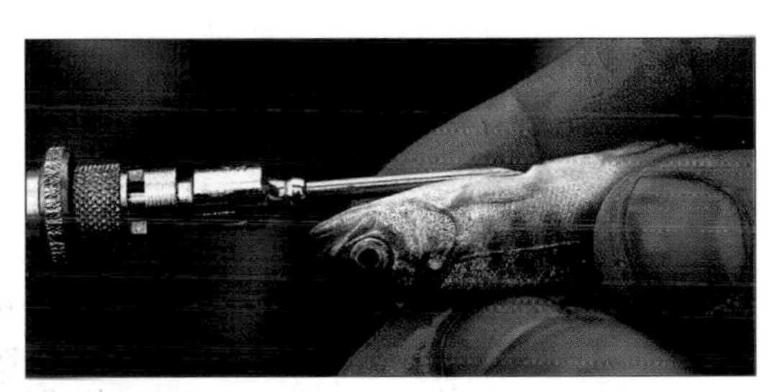

Injection d'une puce électronique sous la peau d'un saumon.

DES PUCES ET DES SAUMONS

Les scientifiques étudient les itinéraires des saumons au moyen de puces électroniques. Un jeune saumon est capturé lors de sa descente vers la mer : on lui injecte une puce électronique sous la peau, puis on le rejette à l'eau. Il n'y a plus qu'à suivre son déplacement sur un écran d'ordinateur.

POUR EN SAVOIR PLUS
LES MACHINES : les puces électroniques
LES OISEAUX : la migration

Bancs de poissons argentés

Certains poissons comme les harengs et les poissons volants nagent en bancs. Le fait de se déplacer en banc est sans doute une protection car, face à un si grand nombre de proies, les prédateurs ne savent où donner de la tête. La couleur argentée de ces poissons est due à leurs écailles, qui réfléchissent la lumière tels des petits miroirs. Cette surface brillante, qui donne au poisson les couleurs de son environnement, est une sorte de camouflage.

POISSON VOLANT

Pour échapper aux prédateurs, les bancs de poissons volants jaillissent hors de l'eau et planent en se servant de leurs grandes nageoires comme d'ailes. Ils émergent à plus de 32 km/h et peuvent planer à la surface de l'eau pendant environ 30 secondes.

Poisson volant (ou exocet) planant à la surface de l'eau.

UN TRÈS GRAND CHASSEUR

L'orphie est un très long poisson effilé aux mâchoires étroites pleines de dents. Elle patrouille lentement le long du rivage à l'affût de crabes et de petits poissons. Ses épaisses écailles argentées lui font une armure.

Longues mâchoires *pleines de petites dents pointues.*

Orphie.

L'orphie de mer *se propulse en godillant de sa nageoire caudale.*

Le corps fuselé *se propulse hors de l'eau à grande vitesse.*

Les grandes nageoires *font office d'ailes.*

PONTE COLLECTIVE

Les grunions vivent au large des côtes de Californie. Pendant les grandes marées de mars, ils abordent les plages par milliers pour pondre leurs œufs.
Le sable humide protège les œufs jusqu'à l'éclosion, environ deux semaines plus tard.

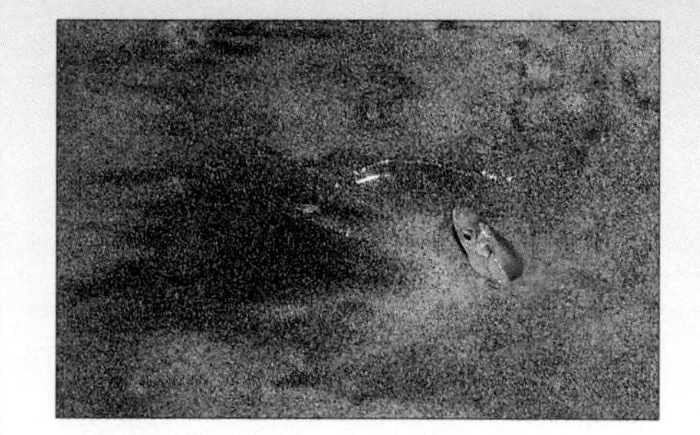

Le grunion pond dans le sable.

C'EST INCROYABLE !

★ Le fondule à quatre yeux a des yeux partagés en deux parties pour voir simultanément sous l'eau et à la surface.

MANGEURS DE PLANCTON

Les harengs nagent près de la surface en bancs immenses, ce qui leur permet de filtrer de grandes quantités d'eau et de récolter plus de plancton. Ils servent à leur tour de nourriture à des chasseurs rapides, tels le thon ou l'espadon.

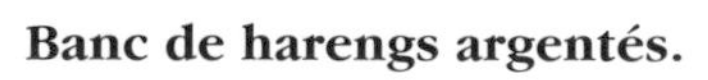

Banc de harengs argentés.

POUR EN SAVOIR PLUS
L'ATLAS DU MONDE : la Californie
LES OISEAUX : le vol

La vie dans la mangrove

La mangrove marécageuse colonise le littoral tropical, là où se mêlent les eaux salées de la mer et les eaux douces des rivières.

Pour vivre dans ces sols vaseux plus ou moins salés, les arbres de la mangrove, les palétuviers, sont équipés de racines aériennes. Certaines sortent du tronc et forment des arceaux qui le soutiennent. D'autres émergent de la vase et poussent à la verticale. La boue saumâtre est pauvre en oxygène, mais les palétuviers utilisent leurs racines aériennes pour absorber l'oxygène de l'air, tout comme le plongeur respire à travers son tuba. La mangrove héberge d'innombrables animaux, y compris des poissons, tel le périophtalme, capables de survivre hors de l'eau quand la marée reflue.

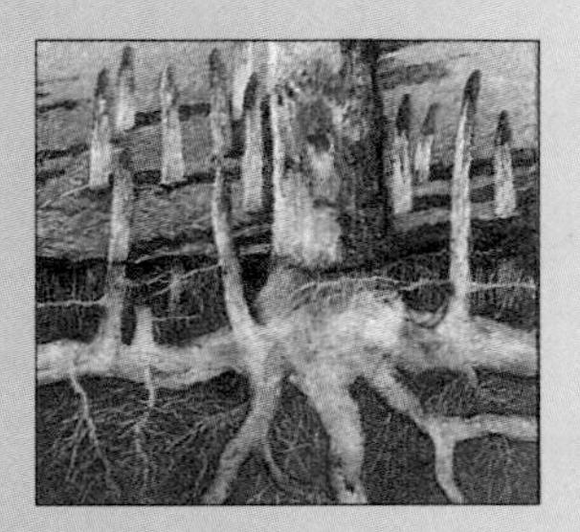

Les racines aériennes du palétuvier absorbent l'oxygène de l'air.

Le tuba émergeant de l'eau permet au nageur de respirer.

LES POISSONS DE LA MANGROVE

Contrairement à la plupart des poissons, les périophtalmes, ou gobies marcheurs, peuvent respirer dans l'air. Les ventouses formées par leurs nageoires leur permettent de grimper sur les troncs des arbres pour chasser. Le poisson-archer fait tomber les insectes de leur feuille en leur envoyant un jet d'eau et les engloutit à l'arrivée.

Les yeux gardent *leur humidité en se retournant dans leurs orbites.*

Les périophtalmes *se nourrissent de crevettes, de vers et d'insectes.*

Le jet d'eau *déséquilibre l'insecte qui tombe de sa feuille.*

Poisson-archer.

LA VIE ENTRE LES RACINES

La mangrove est un enchevêtrement inextricable de troncs et de racines qui abrite une faune exubérante. Les escargots de mer escaladent les racines en quête de nourriture et les vers fouisseurs se réfugient dans la vase.

Périophtalmes dans une mangrove.

Les palétuviers offrent *des issues de secours quand un danger menace.*

UNE POUPONNIÈRE

La mangrove offre aux animaux marins un lieu de reproduction idéal. Certains poissons du large rejoignent les marécages pour pondre leurs œufs. Les petits trouvent en naissant une nourriture abondante dans la vase et l'eau de mer.

Poisson nageant entre les racines des palétuviers.

Le crabe violoniste *mâle a une pince énorme qu'il agite pour attirer une femelle.*

Les périophtalmes mâles *s'affrontent à la période des amours.*

CRABES DES MANGROVES

De nombreuses espèces de crabes vivent dans ces zones marécageuses. Certains grimpent aux arbres et se nourrissent de feuilles. D'autres, comme les crabes violonistes, se réfugient dans des terriers quand la marée envahit la mangrove. Quand la mer se retire, ils sortent pour dénicher des feuilles en décomposition dans la vase.

POUR EN SAVOIR PLUS
LA TERRE : les marées
LA VIE VÉGÉTALE : les mangroves

Poissons des abysses

Dans la profondeur des océans, à partir de 1 000 m, la lumière ne pénètre plus et il fait un froid glacial. Aucune plante ne peut pousser dans ces parages hostiles, mais certains poissons et autres créatures marines parviennent à y survivre en s'entre-dévorant. Ils ont souvent des énormes bouches et certains produisent leur propre lumière pour attirer leurs proies – et leurs partenaires.

Énormes mâchoires *fonctionnant comme un piège.*

UN CHASSEUR AUX DENTS LONGUES

Le poisson-vipère a sur le dos un long filament avec un leurre lumineux au bout. Il s'en sert comme d'une canne à pêche et attire les poissons curieux vers son énorme gueule béante.

Longs crocs *aiguisés comme des poignards.*

Poisson-hache.

LES YEUX EN L'AIR

Les yeux du poisson-hache se tournent vers le haut pour repérer d'éventuelles proies dans l'eau. Son corps porte des rangées d'organes qui produisent des éclairs lumineux. Cela l'aide sans doute à trouver des partenaires de son espèce pour se reproduire. Et peut-être aussi à tromper les prédateurs sur sa taille véritable.

POSE SUR TROIS NAGEOIRES

Semblables à des échasses, trois longues nageoires permettent au poisson tripode de se tenir debout sur le fond marin pour attraper des crustacés, par exemple.

L'appât lumineux *attire les poissons curieux.*

DES POMPONS LUMINEUX

Ce poisson-pêcheur possède un filament équipé de deux pompons rougeoyants. Comme le poisson-vipère, il agite ce leurre pour attirer des petits poissons qui sont happés dès qu'ils approchent.

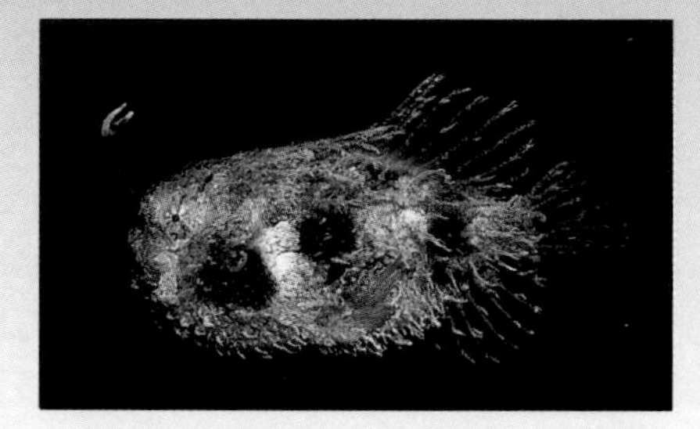

Le leurre rougeoyant du poisson-pêcheur à pompons.

Poisson-vipère dévorant sa proie.

C'EST INCROYABLE !

★ Le record de la vie en profondeur est actuellement détenu par un poisson plat découvert à 12 km sous la surface de l'océan Pacifique.

Le corps est très foncé – *on ne voit pas les couleurs à cette profondeur.*

BOUCHÉE GÉANTE

Le grangousier (une anguille) nage la bouche ouverte, prêt à gober tout ce qui traîne dans les parages : on ne sait jamais quand viendra le prochain repas…

Avec cette énorme bouche, *le grangousier peut engloutir une proie plus grosse que lui.*

Grangousier.

Poisson tripode.

POUR EN SAVOIR PLUS
LES INSECTES ET LES ARAIGNÉES : le camouflage
LES SCIENCES QUI NOUS ENTOURENT : la lumière

Les poissons rapides

Les poissons les plus rapides sont les prédateurs des eaux chaudes, qui chassent leurs proies à grande vitesse, comme le thon, le maquereau, l'espadon et le voilier. Leur silhouette est profilée pour la vitesse : tête pointue, corps fuselé en torpille, qui s'amincit vers la queue, queue large et puissante en forme de croissant, servant de gouvernail.

L'ESPADON
Le museau de l'espadon est semblable à une épée longue de 1 m. Il s'en sert pour sabrer les bancs de poissons. L'espadon peut se déplacer à une vitesse de 100 km/h.

Queue *en forme de croissant.*

La grande nageoire *dorsale fait usage de voile.*

Les poissons *s'éparpillent à l'approche de l'espadon.*

Long museau effilé *comme une épée pour embrocher les petits poissons.*

Espadon.

Museau profilé *pour fendre les eaux.*

Voilier.

LE VOILIER

Le voilier est l'un des nageurs les plus rapides des mers. Il peut dépasser les 100 km/h. Sa nageoire en forme de voile lui sert de gouvernail, mais elle peut aussi se replier dans une fente dorsale, faisant ainsi de son corps un véritable projectile qui fend les eaux sans résistance.

Thon rouge.

LE THON FULGURANT

Long de 3 m, le thon rouge est le plus grand des 13 espèces de thon. Il peut nager à une vitesse de 70 km/h.

MAQUEREAU PILE ET FACE

Le maquereau est foncé sur le dessus et plus clair sur le ventre : il passe ainsi presque inaperçu aux yeux de ses prédateurs et de ses proies. Vu d'en haut, il ne fait qu'un avec les eaux sombres ; vu d'en dessous, il s'efface dans la lumière.

Maquereau vu d'en haut.

Maquereau vu d'en dessous.

C'EST INCROYABLE !

★ **Le thon rouge est capable de traverser l'Atlantique en 119 jours.**

POUR EN SAVOIR PLUS
LE CORPS HUMAIN : les muscles
LES TRANSPORTS : les records de vitesse sur terre

Hippocampes et poissons-rasoirs

Le petit hippocampe (10 cm) ne ressemble pas à un poisson. Il a la tête d'un cheval et une longue queue incurvée en crosse. Ce piètre nageur se déplace verticalement en remuant sa petite nageoire dorsale. Il se sert de sa queue comme d'un crochet pour s'ancrer aux algues et reste là, à l'affût de nourriture. L'aiguille de mer et le poisson-rasoir font partie de la famille de l'hippocampe.

Hippocampe mâle et ses petits.

Les yeux pivotants *voient devant et sur les côtés.*

Les bébés *hippocampes naissent généralement cinq par cinq.*

Les bébés trouvent *un liquide nourricier dans la poche incubatrice de leur père.*

Pour accoucher, *l'hippocampe mâle s'accroche aux algues par sa queue en crosse.*

Papas-poules

Chose étonnante : chez les hippocampes, c'est le mâle qui accouche ! La femelle injecte les œufs dans la poche ventrale du mâle. Quatre à six semaines plus tard, le mâle accouche de centaines de bébés hippocampes.

Poissons-rasoirs

Les poissons-rasoirs habitent les mers chaudes peu profondes. Réfugiés entre les épines des oursins, ils sont pratiquement invisibles avec leur corps longiligne rayé de noir. Ils se propulsent en remuant leurs fines nageoires caudales.

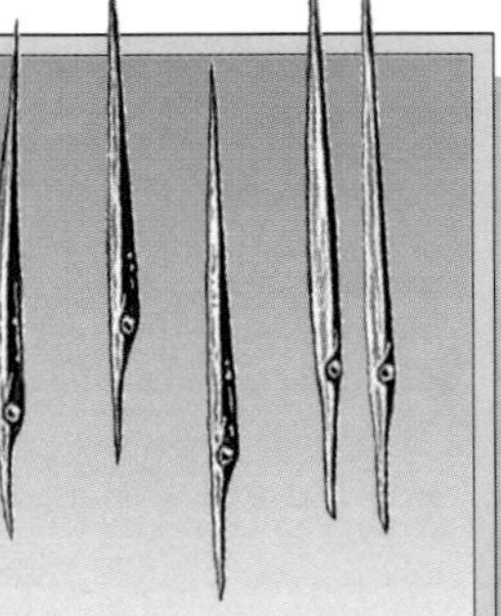

Poissons-rasoirs nageant la tête en bas.

Sa tête ressemble *à celle d'un cheval.*

Corps cuirassé *de plaques osseuses.*

L'hippocampe *se propulse à la verticale en remuant sa nageoire dorsale.*

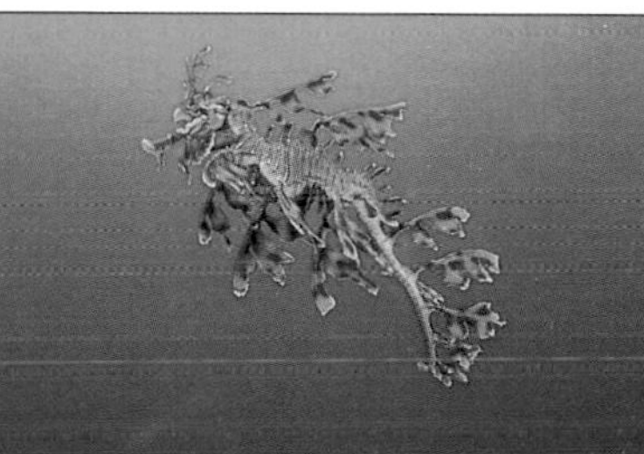

Dragon de mer, un cousin de l'hippocampe

UN COUSIN DE L'HIPPOCAMPE

Le corps du dragon de mer est tout enrubanné de lambeaux de peau. Avec ses fanfreluches, il est pratiquement invisible parmi les algues flottantes.

Aiguilles de mer.

LES AIGUILLES DE MER

Les aiguilles de mer, cachées parmi les algues, sont difficiles à discerner. Comme chez les hippocampes, ce sont les mâles qui portent les œufs attachés à leur ventre, et les protègent jusqu'à l'éclosion.

C'EST INCROYABLE !

★ **Il faut parfois cinq jours à l'aiguille de mer mâle pour accoucher de sa multitude de minuscules bébés.**

POUR EN SAVOIR PLUS
LES MAMMIFÈRES : le kangourou
LA VIE VÉGÉTALE : les algues

La vie aux abords d'un évent abyssal

Les évents abyssaux (fumeurs noirs) ont été découverts en 1977 par des scientifiques embarqués dans un submersible. En certains lieux des profondeurs océaniques, à 2,5 km sous la surface, de l'eau en ébullition jaillit de la croûte océanique par des orifices appelés évents. Autour de ces évents, des colonnes en forme de cheminée s'édifient à partir des minéraux contenus dans l'eau brûlante.

L'eau riche en minéraux favorise une vie foisonnante autour de l'évent. Un gaz présent dans l'eau, appelé hydrogène sulfuré, est absorbé par des bactéries qui le transforment en énergie, et qui sont à leur tour mangées par des palourdes et autres animaux.

L'eau sulfureuse *jaillit en bouillonnant.*

Les minéraux *s'édifient en forme de cheminée.*

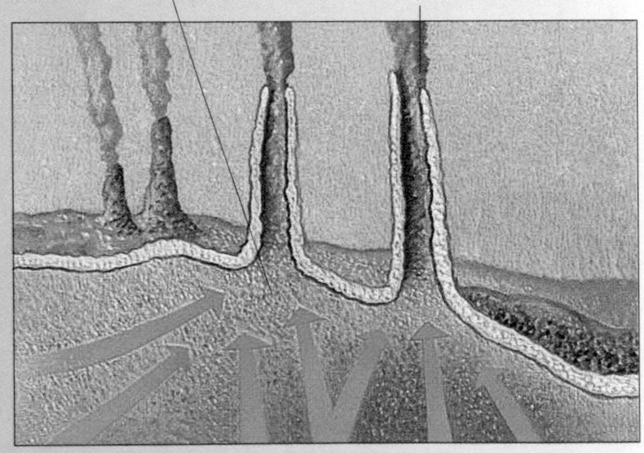

La formation d'un évent abyssal.

Des poissons incolores

D'étranges poissons d'un blanc rosâtre, appelés barbots, trouvent toute la nourriture nécessaire dans la faune de l'évent, y compris des vers tubicoles à grignoter. Les couleurs vives sont inutiles à ces profondeurs, puisque les animaux vivent dans une obscurité presque totale et ne peuvent être vus.

Le plumet rouge *du ver tubicole absorbe l'hydrogène sulfuré de l'eau.*

Le barbot *passe sa vie dans le noir.*

Les vers tubicoles *atteignent 3 m de long.*

Vers tubicoles

Les vers tubicoles rouges et blancs se rassemblent autour des évents. Ces animaux étranges n'ont ni bouche ni intestins : ils tirent leur subsistance des bactéries mangeuses de soufre hébergées dans leur corps.

Mets un bandeau et teste tes sens du goût, de l'odorat et du toucher, les seuls dont disposent les crabes des évents abyssaux.

MANGER À L'AVEUGLETTE

Certaines espèces de crabes et de homards abondent dans les parages des évents. Il n'y a pas de lumière à ces profondeurs ; ils ne voient donc rien et utilisent leurs autres sens pour dénicher de la nourriture dans les remous au pied des cheminées.

L'eau chaude *jaillit de la bouche de l'évent.*

Colonne *en forme de cheminée.*

Les vers tubicoles *sont mangés par des poissons.*

La vie près d'un évent abyssal.

Le crabe aveugle *se dirige grâce à son odorat, son goût et son toucher.*

Les palourdes d'évent *grandissent plus vite que leurs sœurs du littoral.*

Poisson familier *de l'évent, mesurant environ 25 cm.*

MOLLUSQUES À CROISSANCE RAPIDE

Autour des évents vivent des groupes de mollusques blancs, moules ou palourdes, de taille géante. Les palourdes, par exemple, atteignent 30 cm de long. Les animaux qui vivent dans ces oasis grandissent très vite, grâce à l'eau chaude et à une alimentation riche en bactéries.

POUR EN SAVOIR PLUS
LE CORPS HUMAIN : les sens
LA TERRE : les volcans

Le monde des poissons plats

Habitant des fonds marins, le poisson plat, à sa naissance, ressemble à n'importe quel autre poisson ; mais au bout de quelques semaines, il commence à se transformer. L'un de ses yeux migre pour rejoindre l'autre, de sorte que ses deux yeux se trouvent du même côté ! Chez certains poissons plats, les deux yeux sont du côté gauche, chez d'autres, du côté droit. La bouche et la mâchoire du poisson se tordent d'un côté, son corps devient très mince et plat et sa face « aveugle » devient son ventre.

La transformation d'un poisson plat.

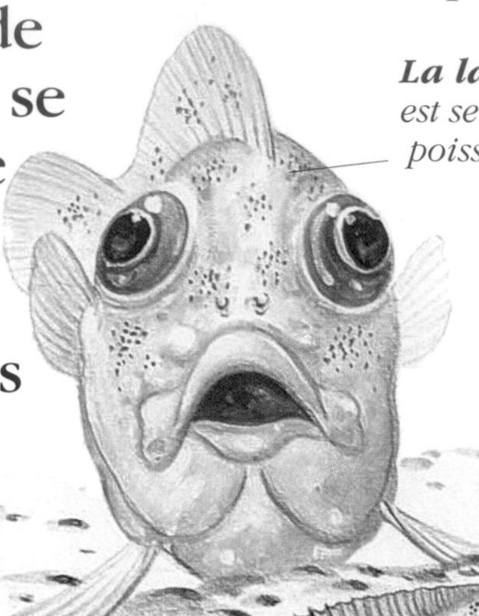

La larve d'un poisson plat *est semblable à celle d'un poisson ordinaire.*

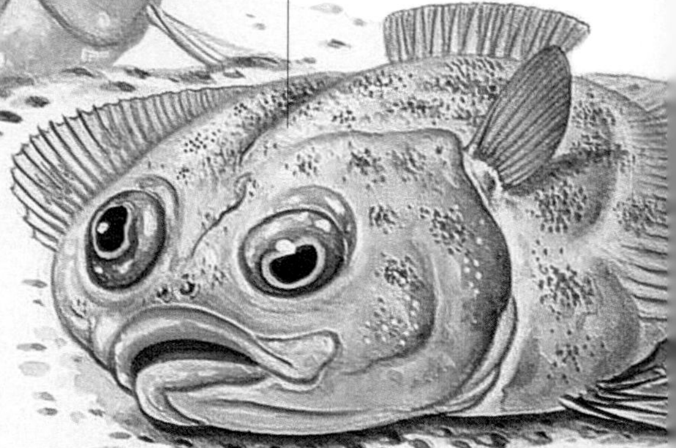

À mesure que la larve *grandit, le corps s'aplatit et la bouche et la mâchoire se tordent d'un côté.*

Chez le poisson plat *adulte, les deux yeux se trouvent du même côté.*

DES FORMES ÉTONNANTES

La plupart des poissons plats sont de forme ovale, comme le flet, mais certains ont des formes plus insolites. La sole-langue a la forme d'une larme et le turbot celle d'un diamant.

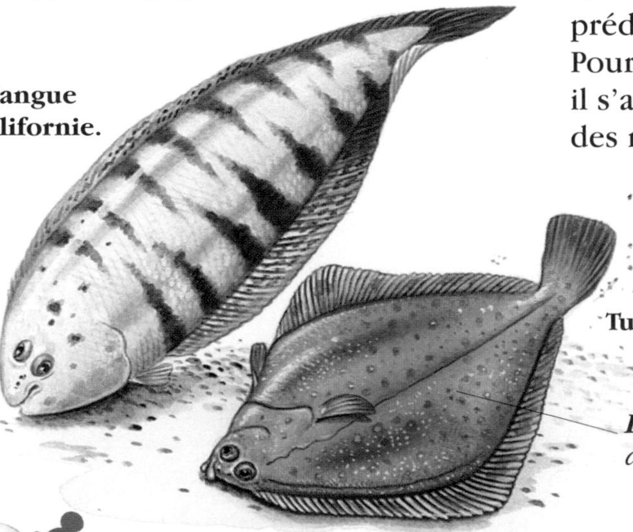

Sole-langue de Californie.

Turbot.

Le turbot adulte *dépasse 1 m de long.*

NI VU NI CONNU

La forme du poisson plat est parfaitement adaptée à la vie sur le fond marin. Sa couleur sable lui évite d'être repéré par ses prédateurs comme par ses proies. Pour parfaire son camouflage, il s'asperge de sable en battant des nageoires.

CHERCHEZ LE FLET

Passer inaperçu sur le fond marin est un jeu d'enfant pour le flet : la couleur et les dessins de sa peau changent selon le décor et s'assortissent au fond pierreux ou sableux.

Flet sur un fond pierreux.

La couleur et les taches *de sa peau contribuent au camouflage du poisson plat.*

Le poisson plat *nage en faisant onduler son corps.*

C'EST INCROYABLE !

★ **Pour faire une expérience, on a eu l'idée de placer un flet sur le damier d'un jeu d'échecs. En quelques instants, il est devenu noir et blanc, parfaitement assorti à ce nouvel environnement.**

POUR EN SAVOIR PLUS
LES INSECTES ET LES ARAIGNÉES : le camouflage
LES REPTILES ET LES AMPHIBIENS : les larves

Merveilles des profondeurs

D'immenses régions de l'océan sont encore inexplorées et des milliers d'espèces restent peut-être à découvrir. On connaît l'existence d'animaux fantastiques mais on a rarement l'occasion de les voir vivants. La découverte d'un cœlacanthe, en 1938, a fait sensation : les scientifiques croyaient l'espèce éteinte depuis des millions d'années, jusqu'à ce qu'un chalutier en capture un dans ses filets au large des côtes sud-africaines.

Les larges nageoires *stabilisent l'énorme masse du poisson-lune qui se meut maladroitement dans l'eau.*

LE POIDS LOURD DE L'OCÉAN

Le poisson-lune est le plus lourd des poissons osseux. L'adulte peut peser 2 tonnes et a la taille d'une grosse voiture. Insensible au poison violent des galères portugaises, il se nourrit principalement de cette méduse.

Poisson-lune flottant dans les profondeurs.

Cœlacanthe mort conservé dans un caisson.

L'ANCÊTRE DES AMPHIBIENS

Le cœlacanthe est le seul survivant d'un groupe de poissons qui vivaient en grand nombre à une époque très lointaine. Selon les scientifiques, ce sont des poissons très semblables au cœlacanthe qui ont donné naissance aux amphibiens il y a 400 millions d'années.

LE PLUS GRAND POISSON OSSEUX

Le poisson-licorne est le plus grand des poissons osseux vivant dans la mer. Il atteint une taille de 15 m et plus – l'équivalent de huit bicyclettes mises bout à bout. On a rarement vu de poissons-licornes, mais c'est sans doute cette créature fabuleuse qui a donné naissance aux légendes de serpents de mer géants.

Une nageoire d'un rouge *éclatant court tout le long du dos, comme une crinière.*

Un corps long *et souple comme celui d'un serpent.*

Poisson-licorne.

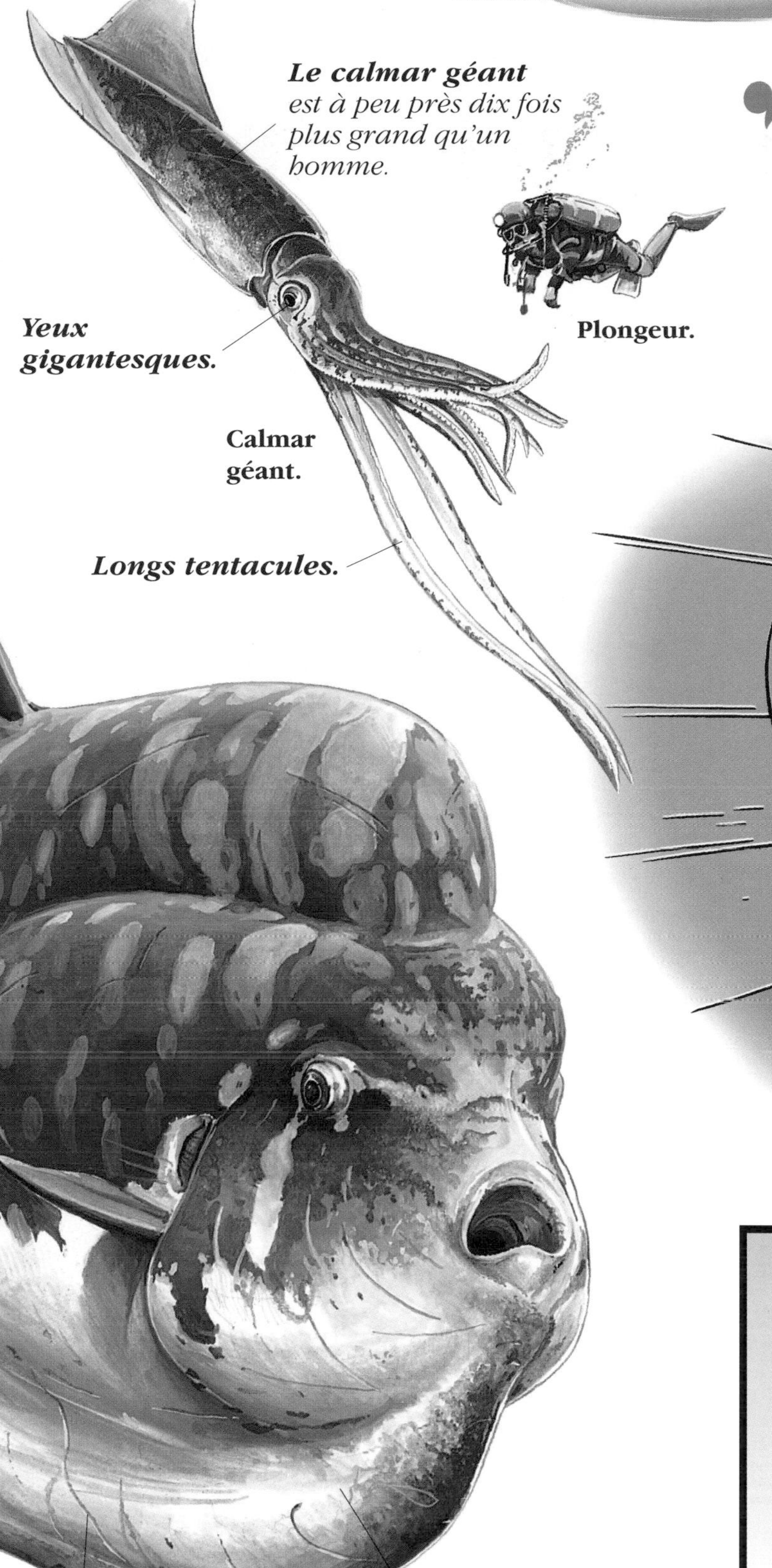
Le calmar géant *est à peu près dix fois plus grand qu'un homme.*
Plongeur.
Yeux gigantesques.
Calmar géant.
Longs tentacules.

Le corps du poisson-lune *est presque rond, avec une nageoire caudale volantée.*

Le poisson-lune, *dépourvu d'écailles, a une peau extrêmement épaisse et élastique.*

LE CALMAR GÉANT

Le calmar géant est le plus grand de tous les invertébrés (animaux sans épine dorsale). Le plus long jamais rencontré mesurait 15 m. Les calmars ont aussi les plus gros yeux de tout le règne animal : certains sont plus gros qu'une tête d'homme !

C'EST INCROYABLE !

★ **Certains poissons de l'Antarctique ont dans le sang une substance chimique semblable à de l'antigel, qui leur évite de geler dans les eaux glacées.**

Poisson-glace.

POUR EN SAVOIR PLUS
L'ATLAS DU MONDE : l'Antarctique
LE CORPS HUMAIN : les yeux

Glossaire des mots-clés

Alevin : minuscule poisson éclos de l'œuf ; on dit aussi frai.

Antennes : paire d'organes sensoriels situés sur la tête d'un animal qui servent à palper, sonder, explorer l'environnement, et parfois à respirer.

Bactérie : minuscule organisme vivant.

Banc : grand nombre de poissons d'une même espèce qui se déplacent ensemble.

Bivalve : coquillage dont la coquille est formée de deux pièces unies par une charnière.

Camouflage : couleurs et dessins de la peau des animaux qui leur permettent de se fondre dans leur milieu.

Cartilage : tissu résistant et caoutchouteux qui forme le squelette des requins, des raies et des poissons-scies.

Cellule : structure minuscule, élément constitutif fondamental de tout être vivant.

Chaîne alimentaire : relations alimentaires liant les êtres vivants dans un système. Ainsi, le plancton végétal est mangé par le plancton animal qui à son tour est mangé par un petit poisson.

Colonie : groupe d'animaux de même espèce vivant au même endroit.

Copépode : petit crustacé dont la multitude constitue l'élément principal du plancton.

Crustacé : animal au corps mou protégé par une carapace dure.

Dinoflagellé : minuscule plante marine, élément essentiel du plancton.

Eau douce : eau non salée, comme l'eau des fleuves et des rivières, des étangs et de la plupart des lacs.

Échinoderme : animal marin, comme l'oursin ou l'étoile de mer, hérissé de piquants mais dépourvu d'épine dorsale.

Éclore : sortir de l'œuf.

Épine dorsale : succession de petits os, appelés vertèbres, sur toute la longueur du corps d'un animal ; on dit aussi colonne vertébrale.

Espèce : ensemble d'individus (animaux ou végétaux) semblables pouvant se reproduire entre eux.

Frayer : pondre.

Gastéropode : mollusque, comme l'escargot de mer, pourvu d'une coquille (généralement) en spirale.

Hydrogène sulfuré : gaz incolore qui s'échappe de la croûte océanique par les évents abyssaux.

Invertébré : animal sans épine dorsale ou squelette interne.

Larves : bébés minuscules de certaines espèces animales.

Lumineux : brillant – surtout dans l'obscurité. De nombreux poissons abyssaux possèdent des leurres lumineux.

Marée : mouvement ascendant (flux) et descendant (reflux) de la mer deux fois par jour sur le rivage.

Microscope : instrument qui permet de voir les choses invisibles à l'œil nu en les grossissant.

Microscopique : trop petit pour être vu sans microscope.

Migration : long voyage accompli par certains poissons et autres animaux vers les lieux où ils se nourrissent et se reproduisent.

Milieu : lieu où vit une plante ou un animal particulier ; ensemble des caractéristiques de ce lieu (comme la température) qui ont une influence sur la vie de cet animal ou de cette plante.

Mollusque : animal marin au corps mou, comme le calmar. Certains mollusques comme les coquillages et les escargots de mer sont pourvus de coquilles dures.

Mucus : substance visqueuse produite par certains animaux.

Oreiller de mer : nom donné à la capsule rectangulaire cornée qui contient les œufs de certains requins et raies.

Oxygène : gaz nécessaire à la survie de la plupart des êtres vivants.

Pinces : appendices servant à attraper et ingérer la nourriture.

Plancton : plantes et animaux marins microscopiques. Le plancton est au départ de la chaîne alimentaire dans la mer.

Poche incubatrice : sac ou poche de peau sur le ventre d'animaux comme les hippocampes, où les petits se développent jusqu'à ce qu'ils soient assez grands pour naître.

Polypes : minuscules animaux marins dont les squelettes empilés forment peu à peu les récifs coralliens.

Prédateur : animal qui chasse et tue d'autres animaux pour se nourrir.

Proie : animal qui est chassé et mangé par d'autres animaux.

Se reproduire (reproduction) : donner naissance à des petits.

Sels minéraux : substances naturelles nécessaires à la croissance des animaux et des plantes.

Soufre : substance chimique jaune pâle qui, mélangée à l'oxygène de l'air ou de l'eau, dégage un gaz puant.

Submersible : véhicule destiné à l'exploration des fonds marins.

Tentacule : long bras souple dont certains animaux marins se servent pour palper, prendre ou se déplacer. Certains animaux ont des tentacules munis de cellules urticantes qui paralysent leur proie.

Trilobite : créature préhistorique à carapace dure qui vivait au fond des mers il y a 500 millions d'années.

Index

Remerciements

AUTEUR
Anita Ganeri

TRADUCTION FRANÇAISE
Sylvie Barjansky

CONSEILLER POUR LES ANIMAUX MARINS
Le professeur Philip Whitfield dirige le département Sciences de la vie de la faculté des sciences de la vie et de la santé, King's College, Université de Londres. Il a écrit et est intervenu comme consultant dans de nombreuses publications scientifiques, dont certaines, destinées aux enfants et largement diffusées, ont été couronnées par des prix.

CONSEILLERS ÉDUCATIFS
Lois Eskin, BSc, conseillère en édition, spécialisée dans l'organisation, la recherche et la programmation d'ouvrages éducatifs.

Kurt W. Fischer, PhD, professeur à la Harvard Graduate School of Education

CONSEILLERS INTERNATIONAUX
Pamela Katherina Decho, BA (Hns), conseillère éditoriale pour l'Amérique latine.

Zahara Wan, conseiller éditorial pour l'Asie du Sud-Est.
Mighua Zhao, PhD, MSc, MA, BA, conseiller éditorial pour la Chine et l'Asie de l'Est.

ILLUSTRATEURS
Simone Boni, Wendy Bramall, Robin Carter, Jim Channell, Joanne Cowne, Marc Dando, Bill Donohoe, Sandra Doyle, Ros Hewitt, Kevin Maddison, Sean Milne, Colin Newman, Chris Orr, Andrew Robinson, Mark Stewart, Tim Thackeray, Colin Woolf. Mise en couleur Disney : Neil Rigby.
Encrage Disney : Alessandro Zemolin.

DIRECTION ARTISTIQUE DISNEY POUR CET OUVRAGE
Fernando Guell
Remerciements particuliers à Michael Horowitz et Carson Van Osten

PHOTOGRAPHIES D'AGENCE .
41 Ron & Valerie Taylor/Ardea London Ltd ; 20 Jeff Foott & 28 Jeff Rotman sont de BBC Natural History Unit ; 17 Jack Fields, 37 Stephen Frink, 39 Natalie Fobes & 53 Brandon D. Cole sont de Corbis ; 15 D. Fleetham/Silvestris, 22 Ian Cartwright, 26l B. Borrell & 49 K. Aitken/Panda sont de Frank Lane Picture Agency ; 13c Peter Parks, 30 & 31 Norbert Wu, 32 Rodger Jackman, 41r Waina Cheng, 43 Mark Deeble & Victoria Stone, 45 Karen Gowlett-Holmes & 54 L. L. T. Rhodes sont de Oxford Scientific Films ; 42 Stephen Frink/Powerstock Photo Library ; 13 Sinclair Stammers/Science Photo Library ; 10 & 34 sont de Stockmarket-ZEFA.

PHOTOGRAPHIES D'ENFANTS
Ray Moller

DIRECTEUR DE PROJET - DISNEY
Remerciements particuliers à Cally Chambers

天下太平